전공의를 위한
간장학 매뉴얼

CLINICAL HANDBOOK of
HEPATOLOGY

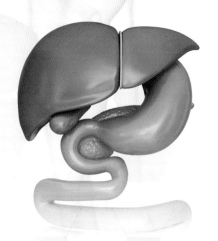

전공의를 위한
간장학 매뉴얼

첫째판 1쇄 인쇄 | 2022년 09월 29일
첫째판 1쇄 발행 | 2022년 10월 15일

지 은 이　김진동
발 행 인　장주연
출 판 기 획　김도성
편 집 기 획　이민지
편집디자인　양은정
표지디자인　김재욱
발 행 처　군자출판사(주)
　　　　　등록 제4-139호(1991. 6. 24)
　　　　　본사 (10881) 파주출판단지 경기도 파주시 회동길 338(서패동 474-1)
　　　　　전화 (031) 943-1888　팩스 (031) 955-9545
　　　　　홈페이지 | www.koonja.co.kr

ISBN 979-11-5955-929-7

정가 20,000원

전공의를 위한
간장학 매뉴얼

CLINICAL HANDBOOK of
HEPATOLOGY

추천사

저는 간이 아닌 감염 질환 전문가라서 이 저서의 추천사를 쓴다는 것이 약간은 어색한 감이 없지 않습니다만, 저자인 김진동 선생님과의 인연과 교류로 한 말씀 보태게 되었습니다.

일찍이 맨체스터 유나이티드의 전 감독인 퍼거슨 옹께서는 "SNS는 인생의 낭비"라는 유명한 어록을 남겼습니다만, 적어도 제 개인적인 경험으로는 꼭 그렇지만은 않다고 생각합니다.

저는 평소에 facebook을 즐겨 사용하는데, 주로 무슨 맛난 음식이나 명소 방문 같은 과시는 전혀 못 하고 또 별로 좋아하지도 않지만, 제 전공 지식을 화두로 제시하고 이에 응하는 맘이 맞는 분들과의 교류를 주로 합니다.

그러다가 저와 코드가 맞는 좋은 분들을 많이 만났는데, 김진동 선생이 대표적인 예이죠. 알고 보니 제 동문 후배이자 같은 내과 출신이라, 직접 만난 적은 없어도 더욱 친밀하게 지내게 되었습니다.

그러던 어느 날 저자께서 간 질환 관련 책을 하나 저술했는데 출판하는 것에 대해 제게 자문을 구해 왔습니다. 아마 제가 그동안 저서를 몇 권 낸 것 때문이었겠죠. 그래서 군자출판사에 중매를 섰고 그 결과 이 저서가 세상에 선을 보이게 됩니다.

책 내용은 정독해 보시면 잘 아시겠지만 주로 전공의 선생님들의 눈 높이에 맞춰서 간 질환에 대한 임상의로서의 접근에 대해 실전에 토대를 두고 친근한 어조로 안내를 하고 있습니다. 그러면서도 전문 지식들에 대해서 철저히 기술하는 것도 잊지 않고 있는 매우 모범적인 내용으로 가득 차 있습니다.

저도 저서를 몇 권 출간해 본 경험에서, 후학들에게 지식을 전수하겠다는 목적의 글쓰기는 이래야 한다는 입장입니다.

전공의나 학생들을 가르친다는 것은 일종의 교류라고 할 수 있는데, 피교육자가 완전히 납득할 수 있도록 한다는 것이 쉽지는 않습니다. 그래서 해리슨, 세실 같은 정통 교과서도 좋지만, 이렇게 실제 현장에서 직접 가르치듯이 친근함으로 장식하고, 같이 임하는 그런 책들도 필요하다고 생각합니다. 이런 생각을 기반으로 해서 저는 저서들을 출간해 왔고, 같은 취지와 철학으로 같은 류의 저서를 내는 분들을 보면 너무나 반가운 동지 의식을 느낍니다.

김진동 선생의 이 책도 제게는 그러합니다.

교류와 공감, 그리고 교육의 3박자가 딱 맞아 떨어지는 제반 노력들이 이러한 저서들로서 결실을 맺어서 계속 나와야 합니다.

그런 면에서 김진동 선생의 저서가 이러한 저서들 대열에 합류하게 된 것을 저는 진심으로 축하드리고 또한 감사하는 바입니다.

이제 자그마한 시작이겠지만, 앞으로 이러한 노력들이 축적되어 의학 교육에 보탬이 되는 collection을 끝끝내 만들어 봅시다.

유 진 홍

가톨릭대학교 의과대학 내과학교실 감염내과 교수

저서: '이야기로 풀어보는 감염학' '항생제 열전' '열, 패혈증, 염증'

'내 곁의 적-의료감염' '유진홍 교수의 감염강의 42강'

전공의 시절 특유의 잦은 발걸음으로 병동을 부지런히 돌아다니던, 재치 있는 제자이자 후배 김진동 선생님이 발간한 "전공의를 위한 간장학 매뉴얼"은 내과 전공의들이 간 파트를 수련하면서 접하는 여러 임상적 어려운 점들과 시행착오를 의사 친화적으로 꼼꼼히 설명해 준 매뉴얼입니다.

'보기에 편리하도록 간추린 책'을 뜻하는 매뉴얼 또는 핸드북은 두꺼운 분량의 교과서 대신 자주 사용되는데, 기존 매뉴얼은 분과 별로 방대한 양을 담기 위해 단어 위주로 요약된 경우가 많아 독자가 읽고 임상적 의미 해석이 제한되기도 하지만, 김진동 선생님의 "전공의를 위한 간장학 매뉴얼"은 단순한 매뉴얼이라기보다는 전공의로 바쁜 수련시절 어깨너머 정립되지 않은 지식으로 혼란스러웠던 후학들을 위해 간질환 진료에 득도한 선배님이 친근한 말솜씨로 쉽게 이해하도록 한 "간 길라잡이"라 할 수 있습니다. 한 예로, 복수 환자에게 저염식이 중요한데, 소금 3그램을 어떻게 계량하는지와 이뇨제 종류별로 작용시간을 이해시켜 용량 조절법을 쉽게 이해하도록 편찬한 길라잡이로, 전공의 시절 누구나 실수하고 감추고 싶은 진료에 대해 "나도 그랬는데, 그런 문제는 이 매뉴얼에 설명한 대로 해결하면 된다."고 낯뜨겁지 않게 일러주고, 선별할 질환들을 똑 부러지게 알려주어 후학들이 어렵게만 느끼는 간장학을 쉽게 다가갈 수 있게 해주었습니다. 내과보드 취득 후 분과전문의의 진로로 고민하는 후배나 아무 생각도 않고 수련만 받고 있는 후배에게도 그 필요성을 깨워주고 세부전공 결정에도 도움을 주는 팁도 빠지지 않았습니다. 그리고, 바쁜 수련생활 중에도 식사는 꼭 챙기라는 따스한 말들을 잊지 않고 고통 분담과 따뜻한 격려의 말을 해주는 매뉴얼은 앞으로 접하기는 쉽지 않을 거라 장담합니다. 아쉽다면 이런 매뉴얼이 조금 더 일찍 나왔더라면 내과 분과별 수련 시간이 짧은 전공의에게 좀 더 자신감 있고, 의사다운 모습으로 환자의 건강과 소중한 생명을 잘 돌볼 수 있었을 것입니다. 그리고 나 역시도 이번 매뉴얼을 통해 전공의 수련 시절에 간질환 이해에 부족했던 점들을 회고하는 기회가 되었습니다.

지리적인 괴리(서울–제주) 및 COVID–19 확산으로 김진동 선생님 얼굴을 본 지 오래되었으나 본문 내용을 통해 전공의들에게 꼼꼼히 설명하는 모습이 내 머릿속에 그려집니다. 간장학을 전공한 간전문의로서 저자가 간질환 환자 진료에서 고민한 내용(급성 간부전은 김진동 선생의 연구 분야임), 경동맥 화학색전술과 최신 전신항암치료, 간분과 다빈도 처방 약제, 입원처방의 실례 등 기존 의학서적에서 자세히 다루지 않는 중요한 내용도 담고 있습니다.

아무쪼록 충실한 이 매뉴얼이 전공의 여러분의 간분과 환자 진료에 반려가 되길 기원하면서, 다시 한번 "전공의를 위한 간장학 매뉴얼" 발간을 축하합니다.

배 시 현
가톨릭대학교 의과대학 내과학교실 소화기내과 교수
15대 대한간학회 이사장

올해로 의사 면허 취득 만 20년, 내과전문의는 만 15년이 되었다. 이후 소화기내과 간분과 전문의 및 전공의 지도전문의로 근무 중이다.

지금도 잊지 못할 내과 전공의 2년차 첫 근무 파트는 서울성모병원(당시 강남성모병원) 간분과였다. 여러 은사님들을 본받고 싶어 간장학을 세부전공으로 생각하게 되었다. 급만성 간부전에 따른 의식불명으로 응급실로 전원된 환자가 떠오른다. 뇌병변 확인위해 방사선 차폐복을 입고 CT실에 함께 들어가서 움직이는 환자 머리를 붙잡고 어렵게 촬영하였고, 인공신장실로 옮겨 인공간 장치인 MARS를 안정적으로 받는지 졸음을 쫓으며 관찰하였다. 교량치료 중 이식팀 교수님들께서 상의하여 응급 간이식을 받은 다음 날 오후 환자 의식이 극적으로 회복된 모습이 인상깊었다. 당시 국내에 소개된 지 오래되지 않은 MELD 점수의 과학성에 매료되어 수백 명의 간이식 환자를 대상으로 스코어를 계산하여 춘계간학회에서 포스터 발표한 열정은 지금 회고하기에 스스로도 대견스럽다.

국내뿐만 아니라 세계적으로 각 분과학회에서 파트별 중요 질환에 대한 진료 가이드라인을 편찬하고 있다. 의학 데이터베이스도 발전하여 온라인으로 최신지견 조회가 가능하다. 하지만 도제로 배우는 바가 큰 의료의 특징으로 인해 교과서나 논문, 가이드라인에서 찾아 해결하기 어려운 임상 현장의 여러 고민에 대한 답을 은사님과 선배들에게 직접 배우는 경우가 많다. 개인적으로 학구적인 스타일은 아니지만 입원 치료가 필요한 환자의 유형은 어느 정도 정해져 있고 십여 년 이상 반복적으로 경험하다 보니 후배 의사들의 임상적 고민에 조언할 약간의 노하우가 축적되었다고 생각된다. 이에, 기존의 임상 매뉴얼에는 없는 내용이면서 간분과를 처음 수련하는 전공의들에게 회진 중에 평소 전하는 중요한 조언들을 정리해본다. 이 책을 접하실 후배들이 본문 내용 단 한 줄의 정보에서라도 임상진료에 도움되시길 바란다.

초년의사 시절부터 소중한 가르침을 주신 은사님들, 특히 영원한 멘토 엄순호, 윤승규, 최종영, 배시현 교수님과 여러 선배, 때로는 귀감이 되던 동기와 후배들에게 감사드린다.

졸고를 출판까지 이르도록 연결해주신 유진홍 교수님과 군자출판사 장주연 사장님, 김도성 차장님, 이민지 대리님의 도움이 없었다면 생각하지 못했을 결과물이라 진심 어린 감사함을 전한다.

감사하다는 말씀도 제대로 못 드린 채 돌아가신 아버지와 언제나 끊임없는 사랑과 평온으로 내 곁을 지켜주는 가족-어머님, 장인어른, 장모님, 처 보영과 두 아들 도현, 민준-을 기억하며 글을 시작하고자 한다.

2022년 8월
김진동

✓ 자주 사용하여 꼭 알아야 하거나 강조할 단어를 **굵게 BOLD** 표시하였습니다.

✓ 환자에 대한 일련의 진료 과정에서 환자의 특성에 맞춰 담당 의료진의 합리적인 판단에 근거한 평가와 치료가 필요합니다. 본문의 내용은 진료의 일률적인 절대적 근거가 될 수 없음을 미리 밝힙니다.

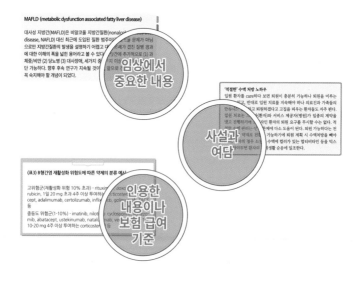

간장학 개괄

간(肝)은 인체 장기 중 가장 무겁고 수많은 역할을 수행함은 일반인들에게도 널리 알려졌다. 한자도 고기 육(月) 변과 방패 간(干) 방을 합친 말이니 역사시대 혹은 선사시대부터 '신체의 방패'인 간의 중요성을 강조한 듯하다.

"침묵의 장기 간"

이 문구는 워낙 흔히 회자되는데, 어원이 궁금하여 구글링을 했으나 확실한 근원은 찾기 어려웠다. 칠레 출신 노벨문학상 수상자 파블로 네루다 *Pablo Neruda*(아름다운 선율의 BGM이 유명한 이탈리아 영화 '일 포스티노 *Il Postino*'에 시인 네루다 역이 나온다)의 시 '*Ode to the Liver*'에

> *"Modest,*
> *organized*
> *friend,*
> *underground*
> *worker,"*

라는 구절이 보인다(원문은 스페인어라 영어로 번역됨. **Reference #3**). '겸손한'으로 해석함이 적절할 'modest'라는 단어를 볼 때, "침묵의 장기"보다는 **"겸양지덕의 장기"** 혹은 **"겸손한 장기"**라는 표현이 수많은 임무를 묵묵히 수행하는 간을 수식하는 데 더 어울린다고 본다.

간의 다양한 역할만큼 간질환의 위중도는 단순한 검사로 간단하게 평가하기 어렵다. 간기능 검사 해석은 의대생 때부터 배우는 중요한 테마이며, 비단 내과의사뿐만 아니라 마취 및 수술 전 평가로도 포함되어 외과계 의사에게도 중요하다. 다만, 결과 해석에는 요령과 패턴을 익히

는 훈련이 필요하다. 혈액검사 외에 여러 영상학적, 병리학적 검사뿐만 아니라 최근에는 비침습적 평가(noninvasive assessment)에 대해서도 clinical practice guideline이 별도로 편찬될 정도로 강조되는 현실이다.

일터인 병원뿐만 아니라 가정 및 사회생활에서 당면할 문제가 동시다발적으로 발생하기도 하는데, 소위 '멀티태스킹'이 안 된다면 우선순위를 정해 중요한 문제부터 하나씩 처리해야 하거나 복잡한 신변을 단순화하면 좋다. 고년차 전공의 시절 순환기내과 주니어 스탭 한 분께서 다음과 같은 인생의 지혜를 들려주셨다.

"공부할 때 table 등에서 수없이 길게 나열된 항목을 다 외우려 말고 중요한 3가지만 먼저 기억하세요. 입원 환자 problem lists도 3가지 내로 압축하여 해결하세요."

'Major 3'를 정리하는 건 꽤 매력적인 점이 많으니 여러 일로 머리 속이 혼란스러울 때에는 적용해 보시길 바란다.

간분과의 3대 질환은 크게 나누어 볼 때, **간염, 간경변증, 간암**이라고 할 수 있다. 입원 다빈도로도 상기 세 질환을 꼽을 수 있는데(만성 B형, C형 간염은 요즘 보통 외래에서 관리한다), 1) '간염'은 간기능 이상의 원인 평가와 대증적 치료, 2) '간경변증'은 각종 합병증 관리, 3) '간암'은 치료를 위해 주로 입원하게 된다. 각 질환별 설명은 뒤에서 상술하겠다.

B형 및 C형간염 및 간암 여러 약제를 제외하면 간질환 치료제는 종류와 개수가 제한된다. 급성 혹은 만성 간질환 환자에서 간장제를 포함한 수액 투여와 비대상 간경변증 환자의 합병증 조절 약제 외에 진행성 간질환 환자에서는 간이식만이 유일한 치료가 되는데, organ shortage 문제 외

에도 이미 전신 컨디션이 불량하여 이식을 받기 어려울 정도의 심각한 환자도 자주 뵌다. 이런 **end-stage liver disease** 환자에서 돌발적인 악화도 흔한데 대개의 경우 심폐소생술 시행에도 소생될 가능성이 낮으며 결국 환자 임종을 자주 접하게 된다. 평소 차분하신 분위기로 목사님이 연상되는 간분과 은사님께서

*"치료해 드릴 것이 별로 없는 간질환 환자에게 마지막까지 위로가 되는 친구 역할을 간분과 의사가 해야 한다."*던 말씀이 기억난다.

불량한 상태가 예측되나 적용할 치료는 제한되는 환자들이 미리 마음의 준비를 하며 생애 마지막의 소중한 시간을 가족과 평온히 보낼 수 있도록 도와드림이 간분과 의사의 소임이기도 하다.

간질환 환자 평가

의대생 임상실습 혹은 전공의 병원 수련 중 증례발표(case presentation)가 흔하다. 흔한 발표인지라 MGR 등이 아니면 다소 성의 없이 준비되는 경우가 잦은데, 개인적으로는 증례발표를 정성껏 준비하면서 많은 것을 배울 수 있다고 생각한다. Problem lists를 정리하기 전까지의 앞부분이 중요한데, 상급병원에서야 환자가 이미 진단을 받아서 입원하는 경우가 잦으나 일반적으로 환자는 불편한 증상으로 1, 2차 의료기관에 내원하고 진단 과정부터 거쳐야 하기 때문이다.

간분과는 case presentation이 익숙한 내과에서도 특히 병력 청취 및 이학적 검사를 기본으로, laboratory, radiologic, pathologic findings를 종합적으로 평가하는 대표적 분과이다.

1. 증상 및 ROS (review of system)

Harrison 교과서 앞부분에서 다루는 cardinal manifestations에서도 간질환 연관된 항목들이 아래와 같이 다양하다.

Abdominal pain, fever, rash, dizziness, fatigue, tingling, confusion, delirium, sleep disturbance, dyspnea, cough, edema, nausea, indigestion, constipation, weight loss, GI bleeding, jaundice, ascites, swelling

● 이 중 체중 변화(임상적으로 의미 있는 체중 변화는 6개월 사이 평소 체중의 10% 이상을 의미한다), 특히 체중 감소가 소모성 질환을 시사하는 중요한 증상이므로 잊지 말고 물어보자. 짧은 외래 진료 시간에도 초진 환자에게 꼭 묻는 항목이다.

● 황달로 내원하는 경우 황달 발생 시점을 자각하기 어려워하는 환자가 많아 안색 변화 대신 소변 색 변화 시점을 물어보면 더 수월하게 상기한다. Pancreatobiliary malignancy 구별에 큰 도움이 되는 **'painless jaundice'** 여부도 꼭 체크하면 좋다.

2. 과거력

Hepatitis B, C는 만성 간질환의 알려진 리스크

과거력 청취 중 "'당뇨병/고혈압/결핵/간염' 진단받은 적 있어요?"라는 질문에 "그런 적 없다"라 하면서 "그런데, B형간염은 있어요"라고 뒤늦게 말하기도 한다. 환자가 '간염'과 'B형간염'을 다른 질환으로 알았거나 조급한 의사가 중간에 쉼없이 빠르게 "'당뇨, 고혈압, 결핵, 간염' 없어요?"라고 물었을 수 있다. B형, C형간염을 이미 진단받았음에도 밝히지 않는 환자들도 있다. 폐엽절제술 수술력을 숨기면서 호흡음 청진 시 "숨소리 괜찮죠?"라며 의사를 테스트해보는 생뚱맞은 환자 부류이거나, 이전에 가입한 사보험 때문에 본인의 과거력을 숨기는 경우로 보인다.

3. 사회력

음주 역시 만성 간질환의 위험인자이며, 흡연력을 '갑년'으로 구체화하듯이 음주력도 주종과 양, 빈도(횟수/주), 음주 지속 연도를 구체적으로 남기면 좋음

음주량 정량을 위해 **'표준잔(standard drink)'**을 이용하기도 한다. 주종이나 잔 크기에 따라 알코올 함량이 다를 것이다. 1표준잔은 순수 알코올 약 10 g으로 동일하다. 소주 75, 맥주 300, 와인 100, 양주 30, 막걸리 210 mL/표준잔이다. 참고로 WHO에서 제시한 저위험 음주 기준은 하루 남성 4표준잔, 여성 2표준잔 이하이다. 소량이라도 매일 음주하면 유해할 것이다.

4. 약물 복용력

약제 유인성 간염(drug-induced liver injury, DILI라는 약어로 흔히 줄여 부름) 혹은 한약재나 건강보조식품에 따른 독성 간염(toxic hepatitis) 유발 가능(**7장** 참고)

5. 여행력

유행지역 방문 시 감염 가능한 급성 A형, E형간염 관련성

6. 가족력

수직감염 가능한 B형간염. 윌슨병은 가족력도 있음. 병력 청취 중 가족 검사를 권유하여 숨겨진 질병을 찾도록 돕기도 함.

7. 수술 혹은 수혈력

Blood borne infections 관련

8. 이학적 검사(Physical Examination)

자세한 병력 청취에 이어 **이학적 검사**가 중요하다. 이학적 검사에는 안구, 경부, 흉부, 복부 평가 외에 피부와 상/하지, 간단한 신경학적 검사 까지 포함된다. 노파심에 기술하자면, '**증상(symptom)**'은 환자의 주 관적 불편감이고, '**징후(sign)**'는 진단기술을 익힌 전문가의 객관적 평 가로, 두 단어를 구별해서 사용해야 한다. 충분한 이학적 검사의 필요성 은 강조함에 끝이 없으나 다음 항목은(머리부터 하지로 이동하며) 기본 적으로 체크하기를 추천한다.

Mental status/orientation
Anemic conjunctivae, icteric sclerae
Dehydrated tongue mucosae
Spider angioma, palmar erythema
Hepatomegaly, splenomegaly
Palpated RUQ mass
Ascites
Flapping tremor
Skin turgor, peripheral edema

최근에는 의무기록을 EMR로 정리하기 때문에 상기 중요 사항은 EMR에 체크박스가 없어도 '기타' 란에 추가로 표시하면 좋다. 이학적 검사시 불필요한 오해를 받지 않도록 환자의 프라이버시 존중에 유의하고, 가능하면 가족이나 다른 의료진이 동석하면 좋다.

문진과 이학적 검사에 이어 다음 **3, 4장**에서 살필 여러 검사도 진행한다.

9. 혈액검사

CBC, PT, 생화학검사, 면역학 검사, 종양표지자 검사 등

10. 영상학적 검사

초음파, CT, MRI, 간섬유화검사 등

11. 병리학적 검사

혈액검사 해석

상술한 바와 같이, 간질환 환자의 평가는 문진부터 시작하여, 이학적 검사에 혈액검사 및 영상학적 검사, 필요한 경우 조직검사까지 진행하여 진단 및 치료로 이어진다. 의학이 발전할수록 진단방법이 치료법보다는 상대적으로 더 발전했다. 청진기와 이학적 검사만으로도 어려운 병들을 진단하던 대가(master)의 시절은 감히 지났다고 해야 하며, 진찰 소견만으로 환자를 평가하고 다른 객관적인 검사를 하지 않고 숨겨진 문제를 놓친다면 소송에 휘말릴 현실이다.

간장학 분야에서 혈액검사는 기본 중의 기본이다. 공단에서 시행하는 혈액검사에도 AST, ALT, r–GT (= GGT) (GOT, GPT, OT/PT, r–GTP는 사용을 지양해야 할 옛 용어임)는 격년간으로 포함되며, 시술이나 수술을 전제로 한 많은 임상과에서도 소위 **'기본랩'**을 시행한다.

LFT (liver function test)라 흔히 부르는 생화학검사 항목 외에 CBC, prothrombin time (PT), viral markers, tumor markers의 해석 시 주의 사항과 임상적 의미를 살펴보자. 다음의 각 문장은 모두 중요하다.

1. Liver panel 혹은 Liver battery

● Protein/albumin, AST/ALT, ALP/GGT, total/direct bilirubin을 포함한다. 총빌리루빈 증가를 확인한 후 직접빌리루빈을 다음 검사에 추가하기도 하나, 진찰 시 황달 소견을 보이거나 이전 검사상 고빌리루빈혈증이 있었다면 직접빌리루빈을 기본검사에 포함해야 한다.

● AST, ALT는 아미노전이효소 혹은 **'간효소'**로 줄여서 부르기도 한다. AST, ALT의 수천대 상승은 1) viral hepatitis(특히 A형간염), 2) toxic hepatitis, 3) shock 등에 따른 ischemic hepatitis인 경우가 잦다.

간효소 상승 정도는 간질환 위중도와 무관하나 개인적인 경험상 B형간염의 급성 악화, 면역이 저하된 경우나 면역 조절제 복용 중인 환자의 간염, 자가면역성 간염의 급성 악화 시에 수천대의 간효소 상승은 추후 다가올 간질환 악화의 서막일 수 있어서 주의를 요한다.

● 허혈성 간염(ischemic hepatitis)은 간분과에 입원한 환자보다는 심장내과, 감염내과 등에 입원한 쇼크 환자에서 종종 확인되며 쇼크 이후 간효소가 상승했는지 여부와 기타 원인 배제로 임상진단한다. LDH 상승을 자주 동반한다. 쇼크 관리, 생체징후 안정화 외에 간분과의 특별한 치료법은 없다.

● AST가 ALT에 비해 높게 상승하고, 의미 있는 CPK 상승을 동반하면 muscular problems을 고려해야 한다. 입대 전 갑작스럽게 운동을 시작하고 신검을 받은 20대 초반 남성, 웨이트 트레이닝, 무리한 산악 등반 후, 알코올 환자가 drunken state로 자세변동 없이 오래 쓰러져 있거나 seizure를 한 경우 등이 흔하다. 근육 증상이 심하지 않으면 충분한 휴식을 취하도록 권유하며, 신기능 이상까지 올 상황이면 횡문근융해증에 준한 평가 및 치료가 이어져야 한다. 간분과 치료는 없다.

● ALP, GGT, bilirubin이 동반 상승된 경우는 cholestasis 관련 질환 확인을 위해 liver USG나 dynamic CT 촬영이 필요하다. 초음파는 선별검사 차원으로 시행하기에 신기능 저하, 임신 등 방사선 조사를 가급적 피해야 하는 경우를 제외하고는 보통 CT 시행을 선호한다. 참고로, gallbladder 평가는 초음파가 CT보다 우월하기도 하다.

● 다른 간기능 이상을 수반하지 않은 ALP 상승은 뼈 문제인 경우도 있어(예: 골전이) calcium과 phosphorus 이상 여부도 함께 확인하고, 필요시 ALP isoenzyme을 추가 처방하여 확인하기 바란다.

● Biliary obstruction 유발하는 췌담도 질환이 아닌 cholestatic pattern의 hepatitis에서 ALP, GGT, bilirubin 상승을 동반할 수 있어 혈액검사만으로 절대적인 진단은 어렵다.

● 단백질과 알부민이 저하되는, 간질환이 아닌 수많은 급, 만성 질환들도 기본적으로 염두해야 한다.

● 알코올 간질환은 혈액검사만으로도 알코올이 간기능 이상의 유발 원인인지 확인하기 쉽다. AST가 ALT에 비해 약 1.5–2배가량 높고, hyper–GGT, hyper–TG, CBC상 macrocytosis 시사하는 소견이 동반 관찰되는 경우가 잦다. PT prolongation과 고빌리루빈혈증을 동반한다면 alcoholic hepatitis의 중증도는 올라간다(5장에서 후술 예정임). Lipid profile 추가 및 췌장염 동반 간접 확인을 위한 췌장효소, 산증 동반 확인을 위한 ABGA 확인이 필요할 수 있겠다.

● 빌리루빈이 상승한 경우에는 직접 혹은 간접 빌리루빈 중 어느 쪽이 더 주된 상승을 했는지 꼭 확인하여 hemolysis의 배제 및 비교적 흔한 Gilbert syndrome인지도 살펴야 한다. 질베르(길버트가 아님) 증후군에서도 총빌리루빈이 5 mg/dL까지도 오르는 경우가 드물게 보이나 보통은 2–3 이하이다.

2. Prothrombin time (PT)

● 급성 혹은 만성 간질환에서 가장 중요하고 민감한 혈액검사 항목이다. ALT 1,000인 환자보다 PT INR 2인 환자를 더 조심해야 할 정도이다. 5장에서 소개할, 전통적인 Child–Pugh score뿐만 아니라 MELD score, discriminant function, King's College criteria for LT 등의 예

후 모델에도 포함된다.

● PT는 second로 표현된 결과와 표준화한 INR (international normalized ratio) 결과가 함께 보이는데, 전자를 일부 모델(discriminant function)에서 사용하기는 하나 후자(INR)에 익숙해지길 권장하며, 추후 다기관 연구에도 도움이 된다.

● 응고보다는 출혈이 더 중요한 임상문제인 만성 간질환 환자에서는 흔하지는 않으나, 와파린이나 NOAC을 복용하는 간질환 환자에서는 간질환 상태와 무관하게 PT가 '연장될' 수 있다(PT는 'prolongation'된다고 표현한다). 참고로, 간암 표지자로 사용되는 PIVKA-II도 와파린 등의 약제 영향으로 위양성으로 결과 이상이 나타날 수 있다.

3. CBC

● 간경변증 환자에서 문맥압항진증과 비장 비대로 인해 pancytopenia가 자주 관찰된다. 감염이 동반되어도 leucocytosis의 정도가 달라 일반인과 다르게 판단해야 하고 백혈구 수치보다는 neutrophil % 증가 여부와 이전 검사 결과와 비교하여 변했는지를 확인하는 것이 임상적으로 더 의미있다.

● 급성 간염에서도 문맥압이 항진되기 때문에 입원 초기에는 혈소판 감소증을 보이다가 간염이 호전될 때 혈소판 수치가 함께 호전됨을 확인할 수 있다.

● 상술한 바대로 알코올 환자에서 macrocytosis (MCV > 100 fL)는 흔히 발견된다. 다만 macrocytosis의 원인이 될 수 있는 vitamin B12

나 folate deficiency를 포함한 여러 질환 동반 여부 배제가 필요하다.

● 외래에서 자주 보는 양성 간 결절인 eosinophilic granuloma 환자는 eosinophil % 증가(> 5%)가 흔하다.

4. Viral markers

● 간분과 입원 환자뿐만 아니라 모든 내과 입원환자는 적어도 내원 전 1년 이내에 검사를 받은 결과가 조회되지 않는다면, HBsAg/Ab, HB-cAb IgG(혹은 IgG와 IgM을 합친 total도 있다), HCV Ab, HIV Ab 검사를 입원 초기 검사나 입원 중 검사에 포함하면 좋겠다.

● 입원 환자는 시술이나 수술, 수혈 등을 받는 경우가 흔한데, 시술에 따른 병원감염이라고 나중에 주장하는 경우도 있고, 감염환자를 진료하던 의료진이 **needlestick injury**를 받는 경우도 발생하기 때문이다. 참고로, 주사침 찔림이 발생하는 경우 병원내 감염관리실에 보고하여 일련의 지침을 따라야 한다. 다음 장의 미국 가이드라인을 참고하자 (**Reference #4-5**).

● HIV는 HBV, HCV에 중복감염되기도 한다. HBV + HIV인 경우 치료 약제 결정에 중요하다[**2018 HBV 가이드라인** 참고(**Reference #1**) – "HIV 중복감염 환자에서 고강도 항레트로바이러스요법 선택 시 **테노포비어**를 포함한 약제를 투여한다"]. HBV + HCV 중복감염도 종종 확인되며 HBV DNA와 HCV RNA를 검사하면 둘 중 하나(보통 HCV)가 우세한 경우가 잦다. B형, C형 중복감염 시 C형간염 DAA 투여 중 B형간염 바이러스가 재활성화될 수 있어 HBV DNA도 함께 추적해야 한다.

B형간염 환자에 needlestick injury 후 추천 예방법

의료진	환자 상태		
	HBsAg +	검사 결과 미상	HBsAg −
HBsAb + (≥ 10 mIU/mL)	No treat(걱정 마세요)		
백신접종 후 HBsAb − (< 10 mIU/mL)	HBIG (× 1) + 백신 재접종		No treat
백신접종 후 항체상태 미상	항체 검사 후 판단	부스터 접종 후 1–2달 후 항체 검사	
백신접종력 없음	HBIG (× 1) + 백신접종 시작	백신접종 시작	

HCV Ab+ 환자에 needlestick injury 후 대응

노출 48시간 내 의료진 HCV Ab, HCV RNA baseline 검사	노출 직후 환자 HCV RNA 검사하여	
	HCV RNA +	HCV RNA −
의료진의 HCV Ab 양성 또는 RNA 양성이면 간분과 진료, 둘 다 음성이면 아래 참고		Baseline study 이외의 의료진 추적평가 불필요
노출 3–6주 후 의료진 HCV RNA 재검하여		
RNA −면 아래 참고	RNA +면 간분과 진료	
노출 4–6개월 후 의료진 HCV Ab, HCV RNA 재검하여		
Ab 양전 or RNA +면 간분과 진료	둘다 음성이면 종료	

● 예상하지도 않던 환자에서 true HIV infection을 찾기도 한다. 매독검사 일환인 VDRL은 수술 전 검사로 여전히 널리 시행하나 내과 입원 환자 모두를 검사할 필요는 없다고 생각한다.

● HBsAg 음성이라도 면역조절제나 항암치료, 이식을 받는 환자에서 **선제치료(preemptive theraphy)**가 필요한 경우기 있어 HBcAb IgG 를 '반드시' 검사해야 한다. 항암 치료로 HBV 재활성화가 심해져서 간부전까지 이르는 경우가 드물지 않다. 이 부분은 내과전문의 보드시험에 출제하기도 좋은 '족보'(= '야마')이다(**13장** 참고).

● B형간염 표면항원 및 항체 검사 결과가 환자가 기존에 알고 있던 내용과 다르다는 경우를 외래진료 중 종종 듣는데, 환자의 기억이 불확실하거나, 이전 검사가 gray zone에 걸쳐 있었을 경우가 많다. HBsAg **seroclearance(혈청소실)** 혹은 **seroconversion(혈청전환)**되는 경우도 가끔 있다.

감염병 신고

'감염병의 예방 및 관리에 관한 법률'에 의거하여 의사는 제1급에서 3급까지의 감염병 환자를 진단한 경우 감염병 신고를 해야 한다. 병원마다 구비된 전산이나 서류 양식이 있다.

간분과 관련한 질환은 아래와 같다.
1급(진단 즉시 신고하고 음압 격리 등의 높은 수준 격리) – 없음
2급(진단 24시간 이내 신고하고 격리 필요) – A형간염, E형간염
3급(24시간 이내 신고) – 급성B형간염, C형간염(HCV RNA 양성), 비브리오 패혈증, 큐열

- **HBsAg**이 양성인 경우, HBV DNA realtime PCR, HBeAg/Ab, AFP 를 기본 검사에 추가하거나 다음 채혈 시 추가한다. 40–50세 이하라면 HAV Ab IgG(혹은 total)를 함께 확인하여 음성이라면 A형간염 예방접 종 추천이 필요하다.

- 참고로, B형간염 백신은 보건소에서 대략 1회 4,000–5,000원의 저렴한 비용으로 접종받을 수 있다. B형간염 예방접종은 3회를 예정된 스케줄대로 맞아야 한다. A형, B형간염 백신은 같은 날에 동시 접종 가 능하며, 코로나 백신 이슈 이전부터 교차접종이 가능하다고 알려져 있 다. 개인적으로는 간염백신 접종 후 부작용을 호소한 환자는 한 명도 없었다.

- A형간염 예방접종은 미국에서는 산모도 접종 가능하다고 안내하 는데, 국내에서는 산모에게 조산 위험으로 추천하지 않는다는 자료도 보인다. B형간염 산모를 간분과 외래에서 자주 보는데, 급하지는 않아 A형간염 백신을 출산 후에 맞도록 추천한다. B형간염 임산부 관리에 대 해 **2018 HBV 가이드라인(Reference #1)**의 "임산부 또는 임신을 준 비하는 B형간염 환자" 부분을 정독하기 바란다. 권고사항만 발췌, 인용 하면 다음 페이지와 같다.

- 2018년 가이드라인이 개정될 때 항바이러스제 복용 중 수유 및 수 직감염 예방 위한 약제 투여 관련 부분이 보완되었는데, TDF 외에 TAF 관련된 부분이 추후 수정될 수 있겠다. 평소 최신 논문을 살피지 않는다 면 수년마다 개정되는 가이드라인에 관심을 두어야 한다(HBV 가이드 라인도 2022년에 부분개정되었다).

대한간학회 2018 B형간염 가이드라인 중 임산부 또는 임신을 준비하는 B형간염 환자 관련 권고사항

(1) 임산부 또는 임신을 준비 중인 환자에서 경구용 항바이러스제의 투약은 일반적인 치료 원칙에 기반하되 임산부와 태아에게 미칠 수 있는 장단기적 영향을 고려하여 신중하게 결정해야 하며 약제 중 테노포비어DF (TDF)를 권장한다(B1).

(2) 페그인터페론 알파는 치료 기간 중 임신은 금기이며 임산부에서도 사용하지 않아야 한다(A1).

(3) TDF 이외의 경구용 항바이러스제 복용 중 임신 사실을 알게 되었을 경우에는 임산부와 태아에 비교적 안전한 TDF로 변경을 권장하며, 출산 후 모유 수유 시에도 사용을 제한하지 않는다(B1).

(4) 항바이러스 치료를 받지 않는 만성 B형간염 임산부에서 출산 후 모유 수유는 제한하지 않는다(B1).

(5) 혈청 HBV DNA가 200,000 IU/mL 이상인 임산부의 경우 수직감염 예방을 위해 TDF 투여가 권장된다(A2). 시기는 임신 24-32주에 시작하여 출산 이후 2-12주까지 투여가 권장된다(B1).

● **HCV Ab**가 양성인 경우, **RIBA (recombinant immunoblot assay)**와 HCV RNA '정량'검사, HCV genotype, AFP를 보통 함께 처방하여 확인한다. HCV true infection 여부를 보려면 HCV RNA 정성검사로 확인할 수 있는데, 정성검사 양성 확인 후 치료로 이어지려면 정량검사를 재검사하는 번거로움이 있어서 정성검사보다는 처음부터 정량검사를 시행한다. Genotype은 치료제 결정에 필수적이지만, 요즘은 pangenotype에 효과가 있는 DAA를 주로 사용하므로, genotype 검사가 필요하지 않을 전망이다. 젊은 C형간염 환자는 B형간염의 경우처럼 HAV Ab 검사를 시행하여 음성인 경우 A형간염 예방접종을 권유한다.

간분과가 아닌 다른 분과에 입원한 환자의 기본 검사상 **HBsAg이나 HCV Ab가 양성이면** 상기 추천한 검사를 시행하고 (결과가 나오면) 간분과에 협진을 의뢰하길 바란다. 검사 결과가 나오지 않았을 때 협진을 미리 원하거나, 퇴원 후 소화기내과 외래 예약을 원하시는 교수님도 계실 터라 이 건은 교수님마다 다른 진료 스타일 문제로 전공의 선배들이나 펠로우 선생님께 요령을 전수받으시기 바란다.

5. Tumor markers

●   간암은 risk factors가 잘 알려진 암종으로 조직검사 없이 전형적인 영상학적 특징으로 임상진단할 수 있다. 간암 종양표지자는 간암 진단 기준에 포함되지는 않으나 보조적으로 진단에 도움되고, 특히 간암 치료 후 반응 평가나 **완전관해(complete response, CR)** 후 재발 예측에 도움이 된다.

●   간암의 알려진 종양표지자는 **AFP**이다. 40세 이상 간경변증, B형간염, C형간염 환자는 공단 간암검진 대상으로 매년 2회(상반기, 하반기 각 1회)의 초음파 및 AFP 검사를 지정 의료기관에서 받을 수 있다(**10장** 참고).

●   AFP의 민감도와 특이도를 높이기 위해 분획도를 보는 **AFP-L3**를 2021년 11월부터 상기 위험인자를 가진 대상에게 연 2회(선별 80%) 인정해주고 있다.

●   **PIVKA-II**도 보조적인 간암 종양표지자로 참고한다. **PVTT (portal vein tumor thrombus)**와 연관성이 있다.

● 참고로 종양표지자 검사의 급여 인정 기준은 다음과 같다.

종양표지자 검사의 인정기준

(1) 종양표지자 검사의 인정기준은 다음과 같이 함
- 다음 -
① 악성종양이 원발장기에 있는 경우: 최대 2종 인정
② 악성종양이 원발장기와 속발(전이)장기에 있거나 악성종양이 의심되는 경우: 원발장기 2종을 포함하여 최대 3종 인정
③ 원발장기가 확인이 안 된 상태에서 암이 의심되어 실시하는 경우: 장기 별로 1종씩 인정하되, 최대 3종까지만 인정. 다만, 난소암이 의심되는 경우는 조직학적 타입에 따라 specific tumor markers가 다를 수 있으므로, 치료 전 검사로 1회에 한하여 최대 5종까지 인정함

(2) 각 장기의 Specific tumor marker는 아래와 같으며, Specific tumor marker가 없는 장기의 경우도 상기 인정기준을 적용함
  - Liver: AFP
  - Colon: CEA, CA 19-9
  - Testis: HCG, AFP
  - Prostate: PSA, PAP
  - Breast: CA 15-3
  - Ovary: HCG, AFP, CEA, CA125, CA130, CA 19-9
  - Pancreas: CA19-9
  - Hepatoblastoma: HCG, AFP
  - Chorionic carcinoma: HCG

(고시 제2007-92호)

6. Autommune markers - ANA, IgG, AMA, *etc*.

● 이 책에서 자가면역간염을 자세히 다루지는 않겠으나 자가면역감염의 진단 criteria는 어떤 항목이 있는지 살펴보자(**5장** 참고). 자가면역간염 진단 기준에 antinuclear Ab (ANA)의 역가와 IgG level이 포함된다. 모호한 경우에는 조직검사까지 시행해야 한다.

● 자가면역간염에서 진단 시 IgG가 보통 2,000 이상으로 오르기 때문에 상기한 알부민/글로불린 비의 역전으로도 자가면역간염을 의심할 수 있기도 하다.

● 자가면역간염의 기타 항체로는 anti–LKM Ab, anti–smooth muscle Ab가 있다. 이 두 항체가 양성인 환자 경험은 개인적으로는 드물다.

● **PBC (primary biliary cholangitis**; 이전 'cirrhosis'에서 'cholangitis'로 용어가 바뀜)는 중년 이상의 연령(소양감을 호소하기도 하고) 환자의 혈액검사에서 ALP 상승이 동반되는 경우 의심하는데, **anti-mitochondrial Ab (AMA)** 양성인 경우 95% 수준으로 진단 가능하다. 가끔 자가면역간염과 PBC 혹은 자가면역간염과 **primary sclerosing cholangitis**가 중복되는 **overlap syndrome**이 진단되기도 하며, 자가면역간염 임상진단 기준에 AMA 양성이면 감점 요소가 되므로 자가면역성 간질환군이 의심되면 ANA, IgG, AMA를 함께 검사한다.

7. 기타 Lab - Ammonia, Amylase, Lipase, Lipid Profile, CRP

● 　간성뇌증 환자에서 ammonia level은 간성뇌증 grade와 비례하지 않는다. **Nonhepatic hyperammonemia**(아래 표 참고, **Reference #6**)가 발생하는 경우도 잦음을 고려해야 한다. 암모니아가 상승한 환자에서 간성뇌증이 동반된 경우가 있을 수 있으나, 반대로 암모니아 수치가 정상이라고 간성뇌증을 배제할 수 없다. 급성 간부전 환자의 arterial ammonia 수치를 확인하기도 한다.

Hyperammonemia 원인

(1) Ammonia 과다 생성
① Infection: urease producing bacteria, herpes infection
② 단백 과다 및 대사 증가: 과다한 운동, 경련, 외상, 화상, steroid 복용, 항암치료, 단식, gastric bypass, 위장관 출혈, TPN
③ 다발성 골수종
(2) Ammonia 제거 감소
간부전, portosystemic shunt, 여러 약제(간독성 유발 가능 약제들, glycine, valproate, carbamazepine 등), 유전적 대사 장애

- Ammonia level은 신체 활동, 흡연 여부, 복용 약제, 채혈 부위 등에 따른 다양한 변수가 있으므로, 참고하는 수준으로만 봐야 한다. 간성뇌증 환자에서 관장 등의 치료 효과 모니터링을 위해 암모니아를 추적하기도 하는데 잦은 혈액검사보다는 환자 진찰을 자주 하여 간성뇌증의 grade를 임상적으로 비교, 평가함이 더 적절하다.

- Amylase와 lipase는 복통을 호소하는 환자에서 췌장염 동반을 확인하기 위해 항목을 추가하여 검사한다. Amylase는 신기능 이상 시 상승도 가능하여 **nonpancreatic hyperamylasemia**에 대한 리뷰도 검색해 보길 바란다. 개인적인 경험으로는 급성 간부전 환자에서 췌장 효소가 상승하면 매우 불량한 예후를 보인다.

- 고지혈증의 임상적 중요성은 잘 아실 것이다. 입원 환자 검사에 가끔씩 lipid profile이 빠지는 경우가 있어 포함하여 확인하길 권장한다. 진행성 간경변증 환자에서는 스타틴 투여 없이도 콜레스테롤 수치가 굉장히 감소한 경우가 종종 관찰되는데, 이는 환자 상태가 불량함을 간접적으로 보여주는 지표이다.

- 만성 간질환, 특히 간경변증 환자는 infection이 선행원인이 되어 급성 악화를 보이는 경우가 잦다. 또한, 간경변증 환자가 감염에 취약하기도 하다. 섬유화의 최종 진행 단계인 간경변증을 가역적으로 호전시킬 방법은 현재 없으나, 감염 포커스를 확인하여 적절한 항생제 투여로 간경변증 환자의 급성 악화를 호전시킬 수 있으므로 감염관리 및 혈액검사상 감염을 미리 확인하는 마커가 중요하다고 생각된다. 흔히 사용하는 hs-CRP 외에 **procalcitonin**과 최근에는 **presepsin** (soluble CD14 subtype)이라는 항목을 검사하기도 한다.

혈액검사 해석 및 검사 처방 시 중요한 사항

(1) 여러 검사 결과를 종합하여 패턴을 파악한다.

(2) 단면적인 시점의 검사 결과보다는(여러 번 검사한 경우) 추세와 변화 속도가 중요하다.

(3) 혈액검사 결과가 환자의 진찰 시 컨디션과 부합하지 않을 경우 채혈이나 검사 과정 중 오류 발생도 고려해야 한다.

(4) 정해진 정기 검사 주기는 없으며 환자의 상태에 따라 검사 간격을 정한다.

(5) 검사 항목 처방 중 일부를 누락한 경우, 잦은 채혈로 인한 환자의 불편을 덜도록 환자가 위중하지 않다면 다음 채혈 시 함께 검사해도 된다.

영상학적,
병리학적 접근

간질환 평가의 기본은 문진 및 이학적 평가와 혈액검사이다. 하지만 영상검사도 기본적으로 시행하며, 종종 병리검사도 필요하다. 가끔 무증상의 간기능 이상으로 외래를 방문한 환자 중 위험인자도 없는데 영상학적 검사에서 간암이 발견되기도 한다.

1. 영상학적 검사

● 간질환 평가를 위한 영상학적 검사는 검사 목적, 접근성, 직전에 시행한 검사 내역, 비용, 급여 여부에 따라 초음파, CT, MRI 시행을 결정한다. 초음파는 조영제 사용이 필요하지 않고 비교적 간단하다. 간담췌 종양 추가 확인 및 RFA 시술 계획 수립 시 신기능 이상 환자에서도 안전하게 검사 가능한 **조영증강 초음파(contrast-enhanced ultrasonography, CEUS)**를 시행하기도 한다. 내과 전공의 수련 과정 중에도 복부를 포함한 초음파 교육 관련 규정이 있다(**내과학회 홈페이지** 참고). 초음파 및 내시경은 실기와 병행해야 해서 이 책에서는 다루지 않겠다.

● CT는 preenhance, arterial, portal, delayed phases가 포함된 **dynamic CT** 촬영이 필요하다. 병원별로 abdominal CT order가 다양하므로 이를 구별해서 처방해야 한다.

● 간 **결절**(< 3 cm)이나 **종괴**(≥ 3 cm)를 CT 소견에 따라 가장 흔한 hemangioma부터 시작하여 전형적인 HCC를 구별할 수 있어야 한다(의대시험 족보일 정도로 기본임). 임상 현장에서 다양한 영상을 PACS로 봐두길 권한다. 추가적으로 cholangiocarcinoma 및 hepatic metastases, liver abscess를 감별할 수 있어야 한다. **Hepatic adenoma** 및 **FNH**도 알면 좋겠다.

● 간경변증 환자의 CT를 볼 때, 하부 식도에 variceal change와 복부 내 collateral vessels, gastrorenal shunt가 보이는지도 확인하는 습관을 들이면 좋다. Ascites는 쉽게 보인다.

● CT에서 모호한 병변이 있을 때나, 간암을 처음 진단하는 경우 CT에서 단일 병변이었어도 추가 병변이 보이면 stage가 바뀔 수 있어서 MRI를 촬영하는 경우가 늘어가고 있다. Liver MRI는 비정상적 hepatocyte에서는 uptake가 되지 않아 hepatobiliary phase (HBP)에서 hypodense한 특징이 있는 조영제인 **gadoxetic acid (*Primovist*®)**를 이용하여 MRI를 시행한다. Dynamic study는 CT와 유사하며, 추가적으로 diffusion weighted image 및 T2, 상기한 HBP 시퀀스를 종합적으로 판단한다.

● MRI는 꽤 오래(30분 이상) 촬영하고 MRI chamber가 작아서 폐쇄공포가 있거나 호흡 조절이 어려운 고령 환자에서는 시행이 제한된다.

● 간섬유화 정도를 파악하는 추가 영상학적 방법으로 **transient elastography (*FibroScan*®)**와 초음파를 이용한 **shear wave elastography**를 시행한다. FibroScan은 섬유화 외에 지방간 정도(**controlled attenuation parameter, CAP**)도 평가할 수 있다(**5장** 참고).

● 간암 진단 시 baseline study로 수술적 절제나 간이식을 전제로 하는 경우 PET-CT 촬영이 가능하다. 간암의 흔한 원격 전이 부위(폐, 뼈, 부신, 뇌 등)를 생각할 때, 간암 진단 시 chest CT, whole body bone scan도 확인한다. 참고로 whole body bone scan과 3 phase bone scan은 검사 목적이 다르다. 일반적으로 전자는 골전이나 이전 골절 병변을 확인하며, 후자는(cellulitis 등에 동반되기도 하는) osteomyelitis를 확인할 때 시행한다.

문맥압 항진증(portal hypertension)과 HVPG (hepatic vein pressure gradient)

문맥압 항진증이란 간문맥의 압력이 증가한 상태를 의미한다. 문맥압 항진증의 가장 흔한 원인은 간경변증이며, 간경변증의 주된 합병증인 복수 및 정맥류(출혈), 긴성뇌증이 문맥압 항진증으로 인해 발생할 수 있다. 간문맥에 직접적으로 카테터를 삽입하여 압력을 측정하기 어렵기 때문에 간접적인 방법으로 internal jugular vein이나 femoral vein을 puncture하여 hepatic vein에 위치하고 free pressure와 ballooning하여 wedge pressure를 각각 측정하여 후자에서 전자를 뺀 압력 차(HVPG)가 문맥순환계와 체순환계의 압력차를 반영한 문맥압 항진증 평가의 가장 신뢰도 높은 검사로 인정된다. 정상 HVPG는 5 mmHg 이하이며, 10 이상이면 **임상적 의미있는 문맥압 항진증(clinically significant portal hypertension, CSPH)**, 12 이상이면 정맥류 출혈과 연관된다고 알려졌다. 동맥이 아닌 정맥일지라도 혈관을 천자하는 검사라 다소 침습적이기는 하지만 정확도가 가장 높다. 보험급여도 인정된다. 문맥압 항진증에 대한 약제로 propranolol이나 최근에는 carvediol을 투여하는데, 약제 반응 평가의 간접적인 방법인 맥박수 측정보다는 HVPG가 더 정확하다. 개인적으로는 신증후군 등의 신장 질환이나 심부전증 등의 질환이 만성 간질환과 병발했을 때 복수의 원인이 문맥압 항진증에 의한 주된 변화인지를 확인하고자 할 때 시행한다.

2. 병리학적 검사

● 최근에는 혈액검사와 영상검사, 이를 토대로 한 비침습적 평가가 유행이지만 많은 간질환 진단의 **reference standard**는 조직검사이다. 간질환 평가에서 다음의 조직검사 적응증 숙지가 필요하다.

1) 진단: 영상학적으로 전형적이지 않고 불명확한 특징의 **SOL (space-occupying lesion)**, 자가면역간염, 원인불명의 간기능 이상, 간이식 후 간기능 이상, 침윤성 간질환, 불명열

2) Staging 및 예후 판단: 만성 바이러스 간염, 지방간염, 알코올 간염

● 이 중, 흔한 검사 적응증은 악성종양 확진, 만성 간염 activity/stage 확인, 자가면역간염 진단이다.

● 만성간염의 상태 및 staging 확인을 목적으로 한 경우에는, 국내에서는 1999년 대한병리학회 소화기병리연구회에서 제안한 아래의 등급체계를 따른다(**Reference #7**). 소엽(**lobular**)과 문맥역-문맥주변부(**porto-periportal**)로 나누어 염증 및 괴사 정도(necroinflammation activity)를 평가하며 각각 5단계(none/minimal/mild/moderate/severe)로 구분하고, 섬유화(fibrosis) 정도도 5단계(no fibrosis/portal/periportal/septal fibrosis/cirrhosis)로 체계화하였다. Lobular activity와 분리하여 porto-periportal activity는 fibrosis와 직결되어 grade가 높으면 disease progression을 의미한다.

● 병리 소견에 더불어 임상정보 및 검사실 소견을 pathologic report에 종합한다.

만성간염 병리검사 결과 예시와 해석

Chronic hepatitis, HCV   → *진단, 병인*
  with mild lobular activity   → *소엽의 염증/괴사 grade*
  with moderate portoperiportal activity → *문맥엽-문맥주변 grade*
  with septal fibrosis   → *stage*

● 비알코올 지방간질환(nonalcoholic fatty liver disease)에서 단순 steatosis가 아닌 steatohepatitis를 감별하고 그 진행 정도를 파악하기 위해 조직검사를 시행하기도 한다. 비알코올 지방간염의 병리학적 특징은 steatosis, 간세포의 balloon degeneration, lobular inflammation, pericellular fibrosis 등이다. Steatosis는 none (< 5%)/mild (5–33%)/moderate (34–66%)/severe (> 66%)로 grading한다.

내과 전공의가 익숙해져야 할 기본 발표 양식 및 익힌다면 의사로서 평생 유익할 것들을 정리해본다.

(1) **Case presentation** – 2장에서 언급했듯이 학생 수준이 아니라 잘 정돈된 형식으로 발표할 수 있어야 한다.

(2) **Journal review** – 의학 논문의 형식과 사용하는 통계 방법을 숙지해야 하고, 분야별로 대표적인 최근 논문을 읽어가는 습관을 가져야 한다(6장 참고). 저년차 때에는 어렵겠으나, 고년차 전공의들에게는 필요하다. 아티클을 읽고 결과를 해석하고 나름대로의 개인적인 논평을 할 수 있으면 더할 나위 없겠다('하산해도' 된다).

(3) **학술대회 초록 작성과 포스터 제작** – 본인이 궁금한 연구 테마를 찾아서 연구를 착수하기는 어렵다. 교수님들이 제시하신 증례나 자료를 정리, 분석한 후 일정한 양식에 따라 abstract를 직접 작성해봐야 한다. 학회 발표를 위한 포스터도 본인이 직접 만들어 보자. 한 번 해

보면 다음에는 쉽다.

(4) **PubMed 검색** - '펍메드'는 미국 국립 의학 도서관에서 제공하는 논문 검색 시스템이다. 온라인에 PubMed 사용법이 정리된 포스팅이 많아 이를 참고해도 되지만, 가능하면 의대도서관에서 가끔씩 열리는 설명회에 참석함을 권장한다. 비교적 짧은 시간을 할애함에도 유용하고 다양한 정보를 얻을 것이다.

(5) **임상연구 및 (통계) 분석** - 위에서 언급한 바 대로 전공의가 궁금한 주제가 있어도 연구를 무턱대고 시작할 수는 없고 최근에는 환자에게 전혀 피해를 주지 않는 차트 분석을 통한 후향연구도 **IRB 신속심사**를 받아야 의료정보팀이나 전산팀에서 일정한 기준으로 추출된 환자 리스트를 받을 수 있다. 관심있는 분과가 생긴다면 본인이 멘토로 삼고픈 교수님을 찾아뵈어 "교수님께 주제를 받아 임상연구를 할 수 있을까요?"라고 용기내어 말씀드리면 흔쾌히 응해주실 분들이 계실 것이다.

비침습적 평가와 모델링

현대의학은 한마디로 말하자면 **근거중심의학(evidence-based medicine)**이다. 환자 상태에 대한 수많은 정보를 접하는 의사는 의미있는 정보를 찾아 해석하고 **decision-making**을 해야 하는데, 통계학에 기반한 의미있는 결과에 의학적 판단 근거를 두어야 한다.

소위 빅데이터 시대에, 수많은 정보 중 의미있는 인자를 찾기 위한 **예측 연구(prediction research)**가 늘어가는 추세이다. 이는 어떤 상태에 대한 의미있는 원인인지(**diagnostic model**), 시간 간격을 두고 발생한 예후와 관련되는지(**prognostic model**)로 크게 나눠볼 수 있다. 또한 최근 임상 현장에서는 환자에게 고통이나 합병증을 덜 유발하는 간단한 진단 검사가 널리 적용된다. 이를 **비침습적 평가(noninvasive test 혹은 noninvasive evaluation)**라 부른다. 예측 연구와 비침습적 평가는 종종 결합되는 형태를 보이며, machine learning 혹은 deep learning의 도입이 늘어가면서 의료계에서도 빅데이터를 기계학습으로 분석한 연구가 늘어가고 있다. 다만 대개의 비침습적 평가는 단면적인 상태를 평가하기에 질환의 변화나 진행 상황을 반영하지 않을 수 있음을 유의해야 한다. 조직검사 등의 전통적 평가법을 대처하는 절대적인 기준이 아닌 보완적인 자료로 비침습적 평가 결과를 이용해야 한다.

간장학에서 조직검사는 국소마취하 경피적으로 검체를 얻든 혹은 수술 검체를 이용하든 모두 invasive하기에 조직검사를 대체한 비침습적인 혈액검사나 영상학적 검사를 이용한 모델링 연구가 특히 많다. 지극히 개인적인 견해로, 간질환이 진행된 경우 접목할 치료도 제한되고 간이식 외에는 대안이 없는 경우가 많은데 간이식 조차도 organ shortage를 포함한 여러 제한점이 따르기에 hepatologist들은 예전부터 간질환 진행 및 예후를 예견하는 연구에 관심이 많은 듯하다. 간경변증을 포함한 만성 간질환의 상태 평가 및 예후 예측의 전통적인 평가법인 Child-Pugh score도 일례이다.

간분과의 중요한 여러 모델을 살펴보자.

1. 섬유화 진단 - APRI score, FIB-4, NAFLD fibrosis score

간 섬유화 정도는 간질환의 stage를 보여준다. 'fibrosis'는 병리학 용어이며 정확하게 평가하려면 조직검사를 시행해야 하는데, 단계는 no fibrosis (F0), portal (F1), periportal (F2), septal (F3), cirrhosis (F4)로 구분된다(**4장** 참고). 참고로 임상연구에서 F2 이상인 경우 **significant fibrosis**, F3 이상인 경우 **advanced fibrosis**라 칭한다.

- **APRI (AST to Platelet Ratio Index) score**는 AST와 혈소판 수치로 간단히 계산되며, AST가 증가하거나 혈소판 수치가 감소하면 score가 올라가서 섬유화 단계가 올라감을 시사한다.

- **FIB-4**는 age와 AST를 곱한 값이 분자가 되며, 혈소판 수치에 ALT에 루트를 씌운 값을 곱한 수치가 분모가 된다. 고령, AST가 높거나, 혈소판이 낮고 ALT가 낮으면 FIB-4가 커져서 섬유화가 진행됨을 시사한다.

- 비알코올 지방간질환에서의 섬유화를 평가하는 index로 **NAFLD fibrosis score**를 이용한다. Age, BMI, IFG (impaired fasting glucose) 혹은 DM 여부, AST/ALT ratio에 따라 score가 증가하며, 혈소판과 알부민 수치가 커지면 감소한다.

- 최근 발표된 섬유화의 비침습적 평가에 대한 유럽간학회 가이드라인(**Reference #8**)에 따르면 1차 의료기관에서 FIB-4를 계산하여 ≥ 1.3인 경우(상급병원에 의뢰하여) transient elastography (Fibro-

Scan)와 필요시 간 조직검사를 순차적으로 시행해보라고 제시한다.

Transient elastography와 Shear wave elastography

앞서 말한 대로 간섬유화는 조직검사로 확인하면 가장 정확하지만 침습적인 단점이 있다. 혈액검사에 근기한 모델로 간접적으로 fibrosis를 예측하기도 하나 혈액검사는 다른 변수로 인한 변동이 있을 수도 있고 민감도와 특이도에 있어 한계가 있다. 최근에는 간탄성도를 이용한 비침습적 검사로 간섬유화 정도와 간경변증 배제에 이용한다.

첫 번째로 FibroScan®을 이용하여 섬유화를 평가한다. 비교적 쉽고 많은 연구에서 유용성이 검증되었고 만성 간질환의 예후 예측에도 도움이 된다. 최근 기기는 steatosis 정도도 함께 평가한다. Cut-off가 < 5 kPa (킬로파스칼)은 정상, < 10이면 compensated advanced choronic liver disease (cACLD) 배제 가능, > 15면 cACLD를 시사, $\geq 20-25$면 임상적으로 의미있는 문맥압항진증을 동반한다고 본다(**rule of 5**). 필자는 10-15 정도면 환자에게 간경변증 초기에 진입했다고 설명한다(간경변증이라도 두려워 말고 의료진 지침을 잘 따르시라는 말을 덧붙인다). 다만 늑골 사이가 좁거나 비만인 경우, 복수가 있을 때에는 평가가 제한된다. 또한 적어도 수 시간의 공복상태에서 검사를 추천한다.

두 번째 방법은 초음파 기기에 옵션이 있는 경우 shear wave elastography를 측정하여 섬유화를 예측할 수 있다. 복수가 있는 경우에도 측정이 가능하고, 복부 초음파를 시행하면서 이어서 시행할 수 있다는 장점이 있다. 다만, FibroScan에 비해 상대적으로 검증이 덜 되었다.

센터마다 접근할 수 있는 검사법이 다를 거라 담당 교수님과 논의하시기 바란다. 두 검사 모두 5-10분 내에 평가를 마칠 수 있고 일정 기간을 두고 동일 검사를 추적하여 환자에게 간질환 진행 여부를 수치로 객관적으로 설명할 수 있다는 장점이 있다.

2. 자가면역간염 진단

자가면역간염도 간분과에서 종종 접하는 질환이다. 조직검사가 필요한 경우도 잦으나 혈액검사 등 여러 아이템으로 definite 혹은 probable diagnosis할 수 있다. 1999년 제창된 **AIH scoring system (Reference #9)**이나 2008년 발표된 **simplified scoring**을 이용한다. 항목을 점검할 겸 아래에 인용한다. 일일이 더하고 빼기 번거로워 보통 medical calculator app (**Reference #10**)을 이용한다.

Parameters/Features	Score
Female Sex	+2

ALP: AST (or ALT) ratio
  < 1.5
  1.5–3.0
  > 3.0
	+2
	0
	–2

Serum IgG
  > 2.0
  1.5–2.0
  1.0–1.5
  < 1.0
	+3
	+2
	+1
	0

ANA, SMA or LKM–1
  > 1:80
  1:80
  1:40
  < 1:40
	+3
	+2
	+1
	0

AMA positive	–4

Hepatitis viral markers
  Positive
  Negative
	–3
	+3

Parameters/Features	Score
Drug history	
Positive	−4
Negative	+1
Average alcohol intake	
< 25 g/day	+3
> 60 g/day	−2
Liver histology	
Interface hepatitis	+3
Predominantly lymphoplasmacytic infiltrate	+1
Rosetting of liver cells	+1
None of the above	−5
Biliary change	−3
Other change	−3
Other autoimmune diseases	+2
Optional additional parameters	
Seropositivity for other defined autoantibodies	+2
HLA DR3 or DR4	+1
Response to therapy	
Complete	+2
Relapse	+3

위의 1999년 버전 scoring에서 점수 합계가 치료 전 > 15이면 defi-
nite AIH, 10–15이면 probable AIH이다. 치료(prednisolone and/or
azathioprine) 후 > 17이면 definite AIH, 12–17이면 probable AIH
이다.

3. 간경변증 환자의 예후 판단 - Child-Pugh score, MELD score

● 과학적 방법보다는 경험에서 나온 **Child–Pugh score**는 기원을 다시 찾아보니 미시간대 외과 Dr. Charles G. Child께서 1964년 최초 발표했고 이후 수차례 보정되었다(**Reference #11**). Albumin, PT, bilirubin, 복수, 간성뇌증 단계에 따라 최소 5점부터 15점까지 계산된다. 복수 및 간성뇌증의 grade 평가가 다소 주관적일 수 있으나 bedside에서 쉽게 계산할 수 있고(차일드 점수는 기준 암기 및 암산을 권유한다), class를 A, B, C로 나누면 환자나 가족에게 상태를 비교적 쉽게 설명할 수 있다는 장점이 있다. 표기는 'CPB7'과 같이 class(B)와 score(7)를 붙여서 간단히 charting 하기도 한다.

● **MELD score**는 2000년대 초반에 고안된 후 보정을 거쳐 세계적으로 널리 이용되는 간분과의 대표적 모델이다. 상기한 바대로 알코올 간염 환자의 예후, 간경변증 환자의 예후 예측, 간이식 대기자의 뇌사자 간 배정에도 이용된다. 9장에서 소개할 간경변증 환자의 perioperative risk stratification에도 응용된다. PT INR, bilirubin, creatinine 3가지 수치를 이용하여 계산되며 최소 6에서 40점까지 계산된다. 높을수록 불량한 상태이다. Log 값이 계산에 쓰여 암산이 불가능하지만 최근에는 medical calculator 앱을 이용하여 간단히 계산하므로 고민할 필요가 없다. 2008년 sodium level이 결합된 **MELD–Na**, 2021년 말 gender 및 albumin이 추가된 **MELD 3.0 (Reference #12)**로 update되었다.

4. 알코올 간염 중증도 평가 - Discriminant Function, MELD score, Lille model

심한 알코올 간염 환자는 입원 한 달 내에 사망하기도 한다. 알코올 간염의 중증도 평가는 대한간학회 2013년 **알코올 간질환 진료 가이드라인**(Reference #1) "Table 5. Prognostic models in patients with alcoholic hepatitis"에 정리가 잘 되어 있어 참고바란다.

● 이 중 해리슨 교과서에 flowsheet로 제시된 **Maddrey's discriminant function (DF 혹은 MDF)** 32점 이상 혹은 MELD score 21점 이상이면 중증으로 판단하여 prednisolone 투여를 추천한다. DF 계산 시 PT는 INR이 아닌 second로 계산하는데, 병원마다 control이 다르나 normal range의 큰 숫자(대략 13초)를 control로 이용한다. DF와 MELD 두 점수체계 모두 빌리루빈과 PT가 포함되는데, 알코올 환자에서 고빌리루빈혈증과 응고장애가 심하면 예후가 불량함을 시사한다.

● 수년 전부터 국내에서도 뇌사자 간이식 allocation에 MELD score를 이용하는데, 알코올 환자들의 MELD 점수가 바이러스 간염 등의 다른 원인 간질환 환자의 MELD 보다 높은 경향으로 인해 뇌사자 간을 공여받을 기회가 늘어가는 건 다소 씁쓸하다.

● 중증 알코올 간염 진단에 이어 프레드니솔론을 투여한 환자에서 1주 후 빌리루빈 수치가 포함된 **Lille model**도 이용하여 추가로 예후를 살피기도 한다. 개인적 경험상 1주가 아닌 투여 3일이 지나도 랩 호전이 없으면 환자 예후가 불량하였다.

5. 급성 간부전 환자의 응급 간이식 기준 - King's College criteria

Acute liver failure는 드물지만 사망률이 높은 심각한 간질환이다. A형간염이나 독성 간염을 포함한 여러 원인이 선행하는데, 특히 30–40대 사회적으로 활발한 활동을 하는 이들에게도 예기치 않게 발병하고 간이식만이 유일한 치료 대안이 되기도 하여 의료진이 경각심을 가져야 할 질환이다(**7장** 참고). 급성 간부전 발생 시 응급 간이식 준비를 포함한 치료 방안 결정을 위해 예후를 미리 예측하면 큰 도움이 되는데, 1989년 영국 King's College의 John O'Grady 교수께서 급성 간부전 환자의 불량 예후에 대한 연구로 도출한 criteria가 아래와 같아서 지금도 임상에서 참고한다(**Reference #13**).

Acetaminophen-associated acute liver failure	Other causes of acute liver failure
pH < 7.3	INR > 6.5
or	or
All of the following: (1) INR > 6.5, (2) Serum creatinine > 3.4 mg/dL (3) Grade III-IV encephalopathy	≥ 3 of the following variables: (1) Age < 10 or > 40 years (2) Cause – nonA, nonB hepatitis, drug-induced, indeterminated etiology (3) Duration of jaundice before encephalopathy > 7 days (4) INR > 3.5 (5) Serum bilirubin > 17.4 mg/dL

5 비침습적 평가와 모델링

● 이 외 MELD score 및 factor V가 포함된 Clichy criteria 등도 급성 간부전 예후 예측에 도움되나 기관에 따라 factor V assay는 외주 검사 라 결과 확인 시간이 오래 소요된다는 단점이 있다.

Preround와 야간 낭식콜

회진(round) 전 전공의가 환자 상태를 미리 점검하고 파악하는 걸 '**preround**'라고도 하는데, 필자의 전공의 입국식 때 어느 교수님 께서 "*하루에 프리라운드를 5번씩 돌면 여러분이 교수보다 환자를 더 잘 볼 수 있다*"고 하셨던 말씀이 떠오른다. 지당한 말씀이나 현 실적이지는 않다. 아침-저녁 하루 2번은 회진과 별개로 환자를 살 펴보길 권유한다.

내과 입원 환자에게 입원 시 및 입원 기간 중 보통 일주일에 1-2번 정도 '루틴 랩'과 단순 엑스레이 추적검사 처방을 하는데, 처방한 검 사는 가능하면 점심 전 혹은 검사 후 2-3시간 내에 꼭 확인하자. 아 침 랩을 뒤늦게 저녁에 확인하다가 갑자기 포타슘 7인 걸 확인하면 아찔해진다(물론 요즘은 심각한 검사 결과는 진단검사의학과에서 재검 후 감사하게도 알려준다. 이를 "**critical value report, CVR**" 이라 부른다). 입원 기본 검사인 X-ray, ECG도 검사 당일에 꼭 확 인해야 한다.

야간 당직 중 새벽 2-4시에 콜이 오면 전화로 해결하려는 경우가 많 은데, 힘들어도 직접 환자를 진찰하길 권장한다. **Arrest는 조용히 엄습할 때가 많다!**

의학논문 해석과
임상통계 입문

견이 있을 수 있겠으나, 의대 예과 시절 배우는 통계학이 중요했음을 임상 자료 분석을 시작하는, 빠르면 전공의 고년차 혹은 펠로우 시절에 통감하게 된다. 의학통계 프로그램은 SPSS를 많이 사용하나, SAS나 R, STATA를 이용하기도 한다. 본인이 모은 자료로 연구를 시작하지 않더라도 의학논문을 읽을 때 기본적인 통계 해석법을 알아야 한다. 아래에 저널 리뷰 발표 시 도움될 수준으로만 간단하게 훑어보겠다. 관련한 좋은 통계 책들이 많으니 검색하여 구입하시길 바란다(참고로, 군자출판사에서 2021년에 발행한 **"의학논문 작성을 위한 통계분석 입문 – SPSS & R, 사례중심"**과 타 출판사에서 발행한 배정민 선생님의 **"닥터 배의 술술 보건의학통계"**를 추천한다).

1. 의학 논문의 예

논문은 보통 **증례**, **원저**, **종설**로 나뉜다. 아래에서 언급할 연구 논문은 대개 원저(original research)를 의미한다. 종설(review)은 그 분야의 전문가가 특정 주제에 대해 관련 논문들을 정리한 논문이다. 임상화보(clinical image)도 각종 저널에 실리지만 증례와는 구분된다.

원저는 대개 아래의 구성을 따른다.

● **Abstract** – 본문을 읽기 전에 간단히(대략 250단어 내외 – 저널마다 기준이 다르다) 정리하여 독자에게 도움을 준다.

● **Introduction** – 연구의 배경과 목적 등을 간략히 쓴다. 'Introduction'이란 말 자체를 빼는 저널도 있다.

● **Methods** – 연구 대상, 연구 방법, 통계분석법, 요즘에는 IRB 심사 내역도 밝혀야 한다.

● **Results** – 연구 목적에 따른 결과를 표와 그래프로 보여 준다. 표와 그래프에서 확인할 수 있는 내용은 다 정리하지는 않고 중요한 내용을 정리한다.

● **Discussion** – 연구 결과의 해석, 의의, 약점 등을 기술하고 연구 결과를 요약하며 마무리한다.

2. Clinical study design

우선 임상 연구를 분류해보자.

1) Descriptive study

(1) Case report
임상 연구의 시작이다. 증례보고를 발표하고 공유하는 이유는, ① 희귀한 증상이나 징후가 관찰되는 질환, ② 치료 중 생각하지 않았던 중요한 부작용이 발생, ③ 병리 기전, 효과, 부작용을 새롭게 설명할 수 있는 경우, ④ 전형적인 질환이더라도 교육 목적으로 독자들이 상기할 필요가 있는 경우이다. 세계적으로 전례 보고가 많지 않을 거라 Discussion에 이전 report 들을 최대한 모아 정리한 literature review를 붙이기도 한다.

(2) Case series

적어도 3 cases 이상을 모아서 기술한 발표이다. 증례 수가 적을 때에는 본문에 Case 1, Case 2, Case 3, 이런 식으로 나열, 기술한 후 Discussion에서 정리한다. 10명 이상인 경우 표로 정리한다. Case report나 case series는 상태에 대한 서술(description)이라서 통계 분석이 이용되지 않는다.

2) Analytical study

(1) Case–control study

연구자가 치료나 약 투여 등의 개입을 하지 않고 이미 질환이 있는 그룹 vs. 매칭된 질환이 없는 그룹을 비교하여 과거의 병인이 무엇이었는지를 찾는 연구이다. 폐암 발병 원인을 분석한 연구가 대표적 예이다. 연구 시점에 폐암이 있던 환자군과 없던 대조군을 역추적하여 비교하였더니 폐암 환자군에서 흡연이 발병 원인이었던 것이다.

(2) Cohort study

코호트란 동일한 환경에 처한 그룹을 뜻한다. 즉 파병 군인이나 운전기사, 간호사 그룹, 혹은 어떤 (작은) 지역에 모여사는 주민들이 코호트로 묶일 수 있다(COVID-19 환자가 발생한 병동을 폐쇄한 경우가 '코호트 격리'였음을 생각하면 쉽다). 이런 코호트 집단을 다시 흡연 유무 등의 '특정 risk'에 노출되었는지 유무로 그룹을 나눠 질환이 발생했는지 여부를 비교 분석한다. 코호트 연구는 **retrospective cohort study**와 **prospective cohort study**로 세분화되는데, 연구자가 연구 시점에서 코호트를 대상으로 과거에 질환이 발병했는지를 확인하면 retrospective이고, 연구 시점에서 미래에 질환이 발생할지를 관찰하면 prospective cohort study가 된다. 미국 메사추세츠 Framingham 지역 주민 대상으로 1940년대에 시작하여 진행한 심혈관 질환 연구가 대표적 전향적 코호트 연구이다.

(3) Cross–sectional study

단면연구는 말 그대로 일정 기간 내에 어떤 질환의 유병률(prevalence – 뒤에 설명 참고)을 확인하는, 대상자 수가 많은 연구이다. 인구 센서스나 국민영양통계를 생각하면 쉽다. 수년 전 'C형간염 국가검진 시범사업'도 그 예인데, 생애전환기 건강검진 대상자인 만 40세와 만 66세 중 일정 지역에 거주하는 6만여 명을 대상으로 시행하여 약 1천 명의 C형간염 감염자를 확인했다.

이상의 descriptive study 및 analytical study는 **관찰연구(observational study)**로 그룹짓고, 이와 구별하여 실제 약/시술/치료가 개입되는 아래의 **treatment study**가 있다.

3) Treatment study

(1) Randomized controlled trial(무작위 대조 시험)

RCT라 줄여 부른다. 결과에 영향을 미칠 수 있는 여러 편견을 줄이기 위해 피험자를 무작위로 실험군과 대조군으로 나눠 비교하는 연구이다. 병원에서 1, 2년차 전공의들이 발표하는 journal review 아티클은 RCT인 경우가 많다. 연구 디자인부터 등록(**enrollment**), 배정(**randomization**), 추적, 분석까지 많은 인력과 비용이 필요한 대규모 연구라고 보면 된다. 여러 세부 classification이 있는데, 내용이 길어져서 더 언급하지 않겠다.

(2) Non–randomized trial

무작위 배정이 아닌 연구자 혹은 참여자의 의도에 따라 특정 그룹으로 약/시술/치료를 받은 후 그 결과를 비교하는 연구라고 보면 된다. 여러 오류나 편견이 들어갈 수 있으나 RCT 규모로 진행하기 어려운 임상연구가 포함된다.

3. Clinical trial phase

"임상 3상 연구", 이런 말도 들어봤을 것이다. 주로 약제 등이 임상에 도입될 때 거치는 임상 연구의 phase (상)를 간단히 구별해보자.

phase	연구 목적*	설명
Preclinical	동물 시험	
0	Pharmacokinetics	생략하기도 함
1	Safety and Dosage	건강 자원자 대상 약제의 안정성과 dose 결정
2	Efficacy and Side effects	효능이 있는지 여부를 확인함
3	Efficacy, Effectiveness and Safety	효능이 있다는 전제에서 치료 효과와 안정성을 재확인함
4	Safety and Effectiveness	**시판 후 조사**(post marketing surveillance, **PMS**)

*더 중요한 연구목적이 앞에 있음.

● **Efficacy(효능)**와 **effectiveness(효과)**를 구별해야 하는데, efficacy는 이상적인 제한된 조건 하에 약이나 치료의 유익함이며, effectiveness는 실제 의료 환경에서 환자에게 투여했을 때 현실적인 치료 결과이다. COVID-19 백신 개발 단계에서 efficacy를 먼저 확인했다면,

real-world에서의 예방효과는 effectiveness라고 부른다고 생각하면 쉽겠다.

4. 변수

간단하게 살펴보면 변수는 1) age, cholesterol, AFP 등의 숫자인 **연속변수**, 2) 당뇨병 유무, 성별, 교육 정도, Child-Pugh class 등의 이분형 혹은 순위가 있는 **범주형 변수**, 3) overall survival 혹은 time to progression 같은 **시간 변수**로 구분한다. 연속변수는 범주형으로 그룹지을 수 있다(예: 나이- 10대, 20대, 30대).

논문의 "Table 1"

대개의 논문 table 1은 연구에 포함된 전체 혹은 그룹화된 환자의 **baseline characteristics**를 정리한 표이다. 성별, 연령, 인종 등 인구학적인 기본 자료들을 **demographic data**라고도 하여 table 1에 포함하여 넣는다. 성별 등은 male 혹은 female 둘 중 한 성별만 **number(%)**로 표시한다. Age나 lab을 **mean ± standard deviation (SD)** 형태로 표시하지만 데이터 수가 적거나 정규분포를 하지 않는 편향된 경우에는 **median (range)** 혹은 **median (interquartile range, IQR)**로 표시한다. Group A, Group B 이런 식으로 나눠져 있는 경우 우측 끝에 두 군의 차이가 있는지 비교분석한(아래의 'comparison' 참고) *P* values를 표시하기도 한다. RCT라면 약물 투여나 어떤 시술을 받기 전 두 군의 의미있는 차이가 없었음을 보여주고 시작한다(무작위 배정을 해도 두 군의 차이가 간혹 발생하기도 한다).

5. 기본적인 의학논문 통계 분석 방법

통계 분석 방법이 많지만 자주 보이는 분석법 위주로 살펴보자.

1) Comparison

위에서 언급한 대로 두 군 혹은 세 군 이상을 비교하였을 때 더 크거나 작은 것만 보는 게 아니라 '**의미있는**' 차이가 있는지 확인해야 한다. 참고로 논문 results나 discussion에서 'significantly'라는 말은 모두 통계에서 $P < 0.05$일 때이다. '**모수적(parametric)**'과 '**비모수적(non-parametric)**'이란 단어도 알아야 한다. 모수적이란 자료가 정규 분포하고 분산이 같다는 의미이고, 비모수적은 정규 분포가 아니거나 분산이 다르다는 의미이다. 자료가 적을 때에는 비모수적 방법을 사용한다고 봐도 무방하다. 모수적 방법으로 연속변수의 평균 비교는 **t test**, 범주형 변수(2×2 table에서의 **교차분석**을 한다)는 **chi-square test**를 이용한다. 비모수적 방법으로는 Mann-Whitney U test와 Fisher's exact test를 대표적으로 사용한다.

2) Correlation

상관분석은 두 변수 사이에 선형적 관계가 있는지 분석하는 기법으로 **상관계수(correlation coefficient)**로 표현한다. 상관계수는 + 1에서 − 1까지로 보이며, +면 양의 상관 관계(같이 늘어나고 같이 줄어든다), −면 음의 상관관계이다(한 쪽이 증가하면 다른 쪽이 감소한다). 절대값이 1에 가까우면 관계가 강한 것이고 0에 가까우면 상관관계가 낮다는 의미이다. Hemoglobin과 hematocrit은 엄연히 다른데, 상관계수는 + 1에 가까울 것이다. 사구체여과율(GFR)을 실제 측정하는 방법이 있는데, measured GFR과 serum creatinine은 아마도 음의 상관계수를 보일 것이다. 모수적 통계법은 Pearson's correlation이고, 비모수적 방법은 Spearman correlation이다.

3) Regression

회귀분석은 여러 독립변수가 종속변수에 주는 영향력을 분석하는 방법이다. 자식의 키와 부모의 키의 관련성, 귀뚜라미 울음소리와 기온의 관계(기온이 떨어지면 귀뚜라미 1분당 울음 빈도가 적어진다) 등을 회귀분석할 수 있다. 실제 임상에서는 독립변수(리스크)가 하나가 아닌 다수가 존재함을 꼭 고려해야 한다. 단일 변수가 아닌 다변수를 동시에 분석하는 방법을 **다변수분석(multivariable analysis)**이라 한다. **단변량분석(univariate analysis)** 및 **다변량분석(multivariate analysis)**이라는 말도 흔히 사용하는데, 의학논문에서는 다변량분석을 다변수분석으로 혼용해서 용어를 사용한다(엄밀히 말하면 다르다). 기억할 점은, results의 univariate analysis에서 P < 0.05라고 의미있는 변수가 아닌, multivariate analysis에서 P < 0.05이어야 다른 변수 영향을 받지 않은 '독립적으로' 의미있는 변수이다.

4) Survival analysis

생존분석은 진단부터 질환의 진행(**time to progression, TTP**)이나 사망(**overall survival**)까지 이르는 기간을 분석하는 분석법이다. **Kaplan–Meier methods** (log rank test)와 다변수의 영향력을 확인하는 경우 **cox proportional hazards model**이라는 분석법을 이용한다. **Survival curve**도 종종 봤을 것인데, 예를 들어 severe alcoholic hepatitis를 예측하는 Maddrey's discriminant function이 내원 시 32점 이상과 미만인 그룹을 나누어 1달이나 3달 사이 예후를 확인하여 survival curve를 그리면 X축 우측으로 시간이 갈수록 두 그룹의 그래

프가 상하로 벌어짐을 볼 수 있고 log rank test에서 P < 0.05이면 두 그룹에 유의한 예후(생존율) 차이를 보인다고 할 수 있다.

5) Diagnostic and prognostic model

5장 모델링 부분에서 일부 설명한 내용이다. 간단히, **diagnostic prediction modeling**은 증상, 징후, 혈액검사, 영상검사 등에서 유의할 **예측인자(predictor)**를 cross-sectional하게 확인하여 현재 질환을 진단하는 확인하는 방법이다. **Prognostic prediction modeling**은 악성종양 등 어떤 질환을 진단 후 시간차를 두고 longitudinal한 이벤트(진행 혹은 사망) 발생에 상기 predictor가 관여하는지를 보는 것이다. 예측연구에는 위에서 언급한 여러 통계방법이 종합적으로 이용되는데, **ROC analysis**도 사용한다. 잘 아실 **민감도(sensitivity)**와 **특이도(specificity)**를 확인한다. ROC 분석으로 그려지는 ROC curve에서 좌측 상단 모서리는 민감도와 특이도가 모두 1인 점이라서 이 점에 가깝게 그래프가 그려질수록 그 특정검사법의 performance가 우수하다고 볼 수 있다. **AUROC** (area under ROC)와 **c-statistic**은 동일하다고 봐도 무방하다. 대개 c-statistic이 0.9 이상이면 excellent, 0.8이상이면 good performance라고 간주한다. ROC curves comparison은 DeLong test라는 방법을 이용한다.

6. 추가 용어 정리

위의 설명에서 빠진 추가 용어를 아래에 정리한다.

● **Endpoint(평가 지표)** *vs.* **Outcome(결과변수)** – 거의 유사한 의미이며 혼용하여 사용되기도 한다. 엄밀히 구분한다면 outcome은 측정된 심플한 변수 값을 의미하고, endpoint는 조금 더 통계분석된 수치이다. Primary endpoint는 중점적 연구 목표이고 secondary endpoint는 부가적으로 얻어지는 benefit과 harmfulness이다.

● **Positive Predictive Value (PPV, 양성예측률) & Negative Predictive Value (NPV, 음성예측률)** *vs.* **민감도 & 특이도** – PPV는 검사(예: 초음파)가 양성인 경우(병변有) 환자가 실제로 질환(간암)이 있을 확률이고, NPV는 검사가 음성인 경우(병변無) 환자가 실제 질환이 없을 확률이다. 민감도와 특이도는 검사를 받는 환자의 입장에서 초음파의 정확도를 판단하는 것이고, 양성예측률과 음성예측률은 검사(초음파) 입장에서 진단의 정확도를 판단한다고 생각하면 조금 더 쉽다.

● **Cut-off value(절사점)** – 특정 검사측정값을 positive *vs.* negative 이분하여 결과를 보여줄 수 있는가 하면 연속변수나 모델링으로 도출된 score인 경우 특정 수치를 기준으로 하여 positive *vs.* negative로 나누어 임상가가 판단하게 도와줄 수 있다. 예를 들어 AFP의 cut-off를 100 ng/mL으로 임의로 정하여 100 이상을 양성, 100 미만을 음성이라고 정할 수 있다. 대개의 혈액검사 결과처럼 높은 결과수치가 나쁘거나 질환과 관련이 높은 방향이라면 cut-off를 높이면 민감도는 하락하고 특이도는 상승할 것이다. ROC curve에서 보는 바와 같이 민감도와 특이도 사이 균형을 맞춰 cut-off로 삼는 방법이 최선이다. COVID-19 자가진단키트의 민감도와 특이도를 예로 들면 이해가 쉬울

것이다.

● **Prevalence(유병률)** *vs.* **Incidence(발생률)** – 앞의 cross–sec-tional study에서 언급한 유병률은 특정 시점이나 특정 기간 동안 특정한 집단에서 환자 수의 합(기존 환자 + 새로 진단된 환자)이다. 발생률은 특정 기간농안 특성한 집단에서 '새로 발생한' 질환자 수이다. 참고로 occurrence는 이전에 관찰되지 않던 일이 발생한 것이고, incidence 는 occurrence로 인해 어떤 손상을 입은 상태이다.

● **Relative Risk(RR, 상대위험도)** *vs.* **Odds Ratio(OR, 승산비)** *vs.* **Hazard Ratio(HR, 위험비)**

(1) RR은 특정 요인의 유무에 따른 사건 발생률의 ratio이다. '요인에 노출된 집단 전체에서 질병이 발생할 위험'을 '요인에 노출되지 않은 집단 전체에서 질병이 발생한 위험'으로 나눈 수이다. RR > 1이면 요인에 노출되면 질병이 발생할 위험이 더 높아진다고 해석한다(RR < 1이면 위험이 더 낮아진다). 코호트 연구에서 활용한다.

(2) OR은 '특정 요인에 노출된 대상 중에 질병에 걸린 사람 수를 질병에 걸리지 않는 사람 수로 나눈 값'을 분자로 하고, '요인에 노출되지 않은 대상 중에 질병에 걸린 사람 수를 질병에 걸리지 않는 사람 수로 나눈 값'을 분모로 한 값이다. 예를 들어 OR이 2.5라면 특정 인자에 노출되면 노출되지 않는 사람보다 2.5배 더 높다는 의미이고, OR이 0.8인 경우 인자에 노출되면 노출되지 않은 사람보다 20% 리스크가 감소한다고 말할 수 있다. Case–control study에서 활용된다.

(3) 희귀질환에서는 RR과 OR이 거의 비슷하다. Study 종류에 따라 사용하는 용어가 다르다고 봐도 된다.

(4) HR은 생존분석처럼 일정 시간 간격이 포함된 연구에서 사용한다. 비교하려는 두 그룹에 효과를 기대하는 새 약제와 대조군 약제를 투여하여 overall survival에 대한 HR이 0.6이었다면 실험군에서 대조군보다 생존율이 40% 높다고 설명 가능하다.

● **95% CI (confidence interval, 신뢰구간)** – 정규분포 및 표준편차와 개념이 겹친다. 연구 대상들의 결과값에 동일 성격의 집단 전체(= 모집단) 평균값이 포함될 확률을 의미한다. CI 범위가 좁을수록 모집단 평균 추정치가 정확하다고 볼 수 있다.

● **Censoring(중도절단)** – 연구 대상이 f/u loss 등으로 측정값이나 관찰치를 부분적으로만 알 수 있는 상태를 의미한다.

● **Intention To Treat (ITT)** vs. **Per Protocol (PP)** – ITT는 연구 도중 치료가 변경되거나 중지되어 연구에서 빠진 피험자 자료까지 포함한 연구법이고, PP는 계획대로 마친 환자 자료만으로 통계 처리하는 연구법이다. 치료 연구인 경우 PP에서는 적극적으로 참여한 환자만 남아서 치료효과가 과장될 수 있다. Real-world에서는 bias를 줄이기 위해 ITT 형태로 연구를 진행한다. RCT 논문 Figure 1에는 환자의 무작위 배정부터 f/u 기간 동안 drop-out된 환자 이유와 숫자를 밝히고 분석에 포함된 대상자 수를 flowsheet로 보여준다.

● **Confounder(교란변수)**와 **Interaction(교호작용)** – 실제 결과와 인과 관계가 없거나, 낮으나 결과에 혼동을 줄 수 있는 변수를 교란변수라고 한다. 까마귀가 날자 배가 떨어지는 경우 배가 떨어지는 건 중력과

과일이 익었기 때문일 가능성이 높은데, 우연히 교란변수인 까마귀가 날은 게 원인으로 관찰될 수 있다는 의미이다(**Reference #14**). 나중에 임상자료 분석을 할 때 고민하게 될 것이다. 교호작용은 독립변수 사이의 상호작용으로 결과가 각각의 독립변수의 예상한 영향과 다르게 나타나는 걸 의미한다. (비과학적인 비유이나) 흔히 말하는 시너지 효과도 일종의 교호작용이다.

● **Propensity Score Matching(성향 점수 매칭)** – 위의 confounder들을 통제하는 방법으로, 실험군과 대조군을 최대한 동일한 조건으로 맞추어 무작위 배정된 연구 효과를 얻으려는 시도이다. 회귀분석 방법을 쓰며, 이 용어에 관심을 가질 정도면 이 챕터를 보실 필요가 없을 듯하다.

● **Meta–Analysis(메타분석)** – 여러 연구를 모아서 비교하여 의견을 제시하는 방법으로는 systemic review와 메타분석이 포함된다. 메타분석은 각 연구 결과의 effect size의 relative risk나 odds ratio 등의 자료를 결합하여 분석한 결과를 보여주는 연구 방법이다. 연구의 끝판왕처럼 보이기도 하나, 문헌 검색을 불충분하게 하거나 bias 처리 부족 등으로 어설픈 연구가 되면 오히려 결과를 신뢰할 수 없다는 단점이 있다.

이 외에도 다른 통계 분석법 및 빠진 통계 설명들이 많다. 상기 내용만 알고 있어도 article을 읽는 기본은 될 것이다. 논문도 많이 읽어보고, 예시 자료나 본인이 간략하게 정리한 자료로 통계 프로그램을 시작하다 보면 멀었던 통계에 더 친숙해지고 뿌듯함과 자신감이 생길 것이다.

전공의의 직업병

이미 잘 알려진 내용이다. 수면 부족, 만성 피로는 차치하고 tinea pedis, constipation and/or hemorrhoids 등을 동반한 전공의들이 꽤 있다. 의사 개인이 환자로서 대사증후군으로 진입하는 시작점이 전공의 때부터인 듯하다. 불규칙한 식사, 폭식, 각종 인스턴트 및 배달 음식, 활동량 부족 등의 리스크를 안게 된다. 일을 하다 보면 구내 직원식당은 식사시간에 맞춰 가기도 어렵고 구미에 맞지 않는 경우도 잦은데, 그나마 치킨, 피자, 중국집 배달 음식보다는 건강에 몇 배 더 유익하므로 쓸쓸해도 직원식당 혼밥을 추천한다. 전공의들에게 종종 전하는 다른 조언은 병동에서 늦게 일을 할 때 가끔 간호사들이 과일을 권하면 사양하지 말라는 것이다. 요즘은 카페에서 샐러드나 과일도 먹기 좋게 판매하지만 커피 한 잔을 테이크아웃해서 가기 바쁘다. 바쁜 와중에도 본인 식사는 꼭 챙기자!

6 의학논문 해석과
임상통계 입문

급성 간염
감별진단

1. 용어 정리

간염은 단어 뜻대로 '간(조직)에 발생한 염증'을 의미한다. 간세포 손상 시 간효소가 상승되기에 AST나 ALT 이상을 일반적으로 간염이라고 부르기도 한다. 참고로 간장학에서 급성-만성 간염의 구분은 일반적으로 6개월을 기준으로 본다.

● **'Hepatopathy'**란 말도 가끔 쓰는데, '간장애' 정도로 해석되겠고, 간분과에서는 이 장 뒤에 설명할 congestive hepatopathy로 사용이 국한된다. '–pathy'는 특정 진단이 내려지기 전에 붙이는 어미이다.

● **Acute liver injury(급성 간손상)**는 급성 간부전(acute liver failure) 연구를 활발히 하는 미국 급성 간부전 연구회에서 제창한 질환군으로 의식변화(간성뇌증)없이 심한 급성 간세포 손상이나 괴사가 발생하는 경우이다. (1) INR > 2.0, (2) AST > 10x UNL, (3) 간성뇌증 없음이 기준이다. 국내의 관련 연구가 필요하다.

● (1) 기저 간질환 없이, (2) grade 1 이상의 간성뇌증이 발생하고, (3) INR ≥ 1.5의 응고장애를 보인다면 **급성 간부전(acute liver failure)**으로 분류된다. **3장**에서 강조했듯이, 급성 간염 환자의 PT INR 1.5 이상이거나 지속적으로 오르는 추세라면 주의를 기울여야 한다. 저단계의 의식변화는 의료진들도 감지하지 못할 수 있다.

● (급성) 간염이 심할 경우를 **전격성 간염(fulminant hepatitis)**이라 부르기도 하는데, 갑작스럽게 나빠진 심한 간염이라는 뉘앙스를 주나 진단 기준은 없다.

2. 급성 간염 감별진단의 중요성

간기능 이상을 포함한 급성 간염 환자 진료에서 가장 기본적이고 중요한 포인트는 간기능 이상이나 간염을 유발한 1) 원인 규명과 2) 기저 만성 간염 혹은 간경변증이 있던 중 급성으로 악화되었는지 여부를 확인하는 것이다. 신기능 이상 등 합병증을 동반하지 않았고 급성 간부전 수준이 아닌 흔한 급성 간염은 수액 투여나 대증적 치료로 짧게는 1–2주 사이에 무난한 회복을 보이기에 심각한 범주의 질환은 아니지만, 일부 급성 간염은 스테로이드 투여나 항바이러스제 투여, 타과 진료 의뢰가 필요하다. 기저 만성 간질환 존재 여부 확인은 퇴원 후 지속적인 외래에서의 추적 관리와 연계된다.

3. 급성 간염의 영상학적 소견

간기능 이상으로 환자가 외래를 방문하면 여러 혈액 검사 이외에 기본적으로 초음파나 CT 등 영상학적 검사를 시행한다. 간기능 이상이 간장 질환의 결과인지, 췌담도 질환인지, 혹은 심장이나 근육 질환 등인지를 구별해야 하기 때문이다.

급성 간염 시 초음파나 CT에서는 전반적인 간세포의 염증 때문에 간이 전반적으로 부어서 살짝 비대해지기도 하고(hepatomegaly는 없을 수도 있다), 간문맥 주변이 붓거나(**periportal edema or tracking**), 금식 후 검사에도 불구하고 이차적으로 담낭이 위축(**collapse**)되거나 담낭벽 비후(**GB wall thickening**)를 보인다. 상기 소견은 간염의 심한 정도에 따라 상이하다. 간경변증이 아닌 급성 간염이 심한 경우에도 복수가 관찰되기도 함을 유념해야 한다. CT에서는 동맥기에서 간실질이 얼룩덜룩해 보이는 arterial heterogeneity, 간문(porta hepatis) 주변

임파선 비대나 비장 비대도 확인된다.

> **만성 간염이나 간경변증의 영상학적 특징**을 급성 간염과 비교하여 숙지해야 한다. 간질환이 만성화(섬유화 진행)되면 (1) 간 실질과 표면이 거칠거나 결절 변화를 보이고, (2) 변연이 날렵한 예각이 아닌 둔해지며, (3) 간 좌엽이나 caudate lobe (S1)가 상대적 종대되고, (4) 비장 비대나 collateral vessel이 관찰되기도 한다. 책을 통해서만의 지식 획득은 어렵고 초음파는 직접 해보고, 간분과를 돌 때 입원 환자 CT를 많이 보고 눈에 익혀야 한다.

4. 급성 간염의 여러 원인

크게 감염성, 대사성, 자가면역성, 허혈성, 기타 원인으로 구분된다. 간혹 원인 불명인 경우도 있다.

● 감염성

잘 알려진 hepatotropic virus인 hepatitis A, B, C, D, E가 대표적이다. 혈청 검사 결과에 따른 바이러스 감염 진단은 의대생 만년 족보이고 잘 아실 거라 이 책에서 언급하지 않겠다. HAV Ab IgG를 검사하고 positive가 나왔는데 A형간염으로 착각하고 협진을 주신 전문의도 계셨다. CMV, EBV infection에 따른 간염도 발생한다. 세균성인 경우는 hepatititis보다는 _Klebsiella_나 _E. coli_에 의한 pyogenic liver abscess 형태로 발현된다. 천(千)의 얼굴을 가졌다는 결핵균도 간에서 침윤성으로 발생할 수 있다. 간염은 아니지만 개회충(_Toxocara canis_)이 호산구성 농양(eosinophilic granuloma) 원인인 경우도 종종 보인다. 강조하고 싶은 건, 급성 간염 기본 검사 처방 시 국내에 생각보다 많을 수 있는 E형간염 감염 여부 확인을 위해 HEV Ab IgM과 IgG를 혈액검사에 포함하는 습관을 가지시길 바란다. 가끔 급성 간염 환자 처방 시 HBeAb

를 HEV Ab와 착각하여 처방하는 전공의들이 있는데, HBeAg/Ab는
HBsAg이 양성인 경우에 처방해야 한다. 자가면역간염 검사인 anti-
smooth muscle Ab (ASMA, 항평활근항체)는 류마티스내과에서 처방
하는 anti-Sm Ab(항스미스항체)와 혼동하지 말아야 한다. 누구나 실
수를 할 수 있으나, 약속처방을 클릭할 때 조심하지 않으면 남성 환자
에게 CA 125, 여성 환자에게 PSA 검사 처방을 하여 나중에 무안하기도
하다.

● 　대사성

알코올 간염 및 비알코올성 지방간염, 약제유인성 간염, 독성 간염이 포
함된다. 알코올은 의미있는 음주력이 있고, 기타 원인이 배제되며, 혈액
검사상 알코올 간질환을 시사하는 여러 혈액검사 결과로 진단 가능하
다(3장 참고). **약제유인성 간손상(drug-induced liver injury, DILI)**
과 독성 간염(toxic hepatitis)은 DILI로 묶기도 하는데, 개인적으로는
상용 처방약제에 따른 전자와 한약이나 건강보조식품에 따른 후자를
분리해서 표현한다. Hepatotoxicity가 잘 알려진 acetaminophen을
포함한 어떤 약제나 물질이 간독성을 초래했는지 여부는 가끔은 복용
과 발병 사이의 인과관계를 따지기 어려운데, 우연히 해당 약제 재복
용시 다시 나빠짐을 확인하거나(*Koch's postulates*), **RUCAM scale**
을 이용하기도 한다(Reference #15). 개인적으로는 환자의 병력 청
취 시 최근 2개월 사이의 약물이나 건강보조식품 복용력을 확인하는
데 각종 엑기스나 달인(decoct) 물을 섭취한 경우가 흔하다. 미국 **FDA
online site (DILIrank Dataset)**를 방문하면 FDA에서 승인된 약제
를 DILI와의 연관성에 따라 4단계로 분류하여 확인할 수 있다(**Refer-
ence #16**).

약제유인성 간손상 유발 가능한 흔한 약제 (ABC 순)

Acetaminophen
Allopurinol
Amiodarone
Amoxicillin–clavulanate
Anti–tuberculosis medications – isoniazid, rifampin, pyrazinamide
Azathioprine
Busulfan
Chlorpromazine
Methimazole
Methotrexate
NSAID
Statin
Steroids (anabolic)
Sulfonamide
Tamoxifen
Valproate

● 자가면역성

자가면역간염(autoimmune hepatitis, AIH)은 만성 질환이지만 급성 간염으로 진단되는 경우가 약 1/3 정도이다. 기본 간기능 검사상 A/G ratio 역전도 잦다. 자가면역항체와 IgG, AMA 등을 검사하여 AIH scoring 한다(5장 참고). 모호할 때에는 조직검사를 시행하여 interface hepatitis, portal lymphoplasmacytic infiltrate, hepatocyte rosetting 등의 병리학적 특징 확인이 필요하다.

- 허혈성

심부전 등 심인성 원인에 따른 congestive hepatopathy나 소위 '**shock liver**'라고도 부르는 shock에 따른 이차적 변화로 간에 ischemia 및 간염이 발생하기도 한다(**3장** 참고).

- 기타

대사성으로 묶일 수 있는 hemochromatosis, 윌슨병, (국내 의사들은 대개 책에서만 접한) alpha–1–antitrypsin deficiency도 급성 간염으로 나타날 수 있다. 뒤의 두 질환이 급성 간염으로 발현할 때에는 대개 소아청소년과에서 진단된다. **Hemophagocytic lymphohistiocytosis** (**HLH**)의 hepatic involvement가 간염으로 발현되기도 한다. 혈액질환이라 소화기내과 의사가 언급하기 제한되나, HLH는 내과 전공의를 하면서 꼭 1명 이상은 겪을 수 있는 중증의 희귀질환이라 강조한다. HLH 진단 기준을 숙지하여 의심하지 않으면 진단이 늦어지고 치료 기회를 놓치기 십상이므로 '괴질' 양상의 심각한 환자를 접하면 HLH 진단 기준을 맞춰보시길 바란다.

급성 간부전

급성 간부전은 상급 종합병원 중 매머드급 병원이 아니라면 사실 내과 전공의가 자주 접할 질환은 아니다. 책 집필 초기에 이 부분을 포함할 의향이 없었으나 필자의 연구 관심사이기도 하고 기회가 닿아 국내 나 기관의 급성 간부전 환자 자료를 수집, 정리 중에 느끼는 바가 커서 포함하기로 했다.

1. 정의

7장 서두에서 소개한 정의를 더 구체화하면, INR ≥ 1.5의 coagulopathy + 간성뇌증 + 기저 간경변증이 없거나 26주 미만의 급성 질환인 경우이다. 연구자에 따라 26주가 아닌 첫 임상증상 발현부터 8주내 간성뇌증이 발생한 경우로 정의를 제한하는 경우도 있다. 국내 급성 간부전 진단 시 특히 고려할 점은 한국은 HBV–endemic area이기에 수직감염으로 이전부터 HBV가 있었으나 26주 내 진단받은 적이 없이 모르고 지내왔던 급성 악화 상태도 급성 간부전의 정의에 포함된다는 것이다. 만성적인 임상 경과를 밟는 자가면역간염이나 윌슨병의 급성 악화도 급성 간부전의 원인으로 본다. Alcoholic hepatitis는 급성 간부전 질환 범주에 포함하지 않는다.

2. Classification

황달 발생 후 의식변화까지의 기간에 따라 1주 내를 **hyperacute(초급성)**, 1–3주 혹은 1–4주 사이를 acute(급성), 3주 혹은 4주 이후에 의식변화가 발생한 경우를 **subacute(아급성)**로 분류한다. 이 분류가 중요한 이유는 초급성에서는 환자가 역동적으로 상태 변화를 보이나 비교적 (자발생존 비율이 높은) 예후가 좋은 경우가 더 많고, 아급성인 경우는 의식 변화 등은 천천히 나타났어도 예후는 초급성이나 급성보다 불량하기 때문이다. 예후의 차이는 간세포가 급격히 손상되는 속도보다는 급성 간부전의 병인이 더 크게 작용했을 수 있다. 뒤에서 언급하겠지만 급성 간부전의 원인에 따라 예후 차이를 보이는데, 초급성은 자발생존율이 50% 이상으로 비교적 양호한(급성 간부전에서 생존율 50%는 높은 수치이다) acetaminophen–induced hepatotoxicity나 acute hepatitis A, ischemic hepatitis에 따라 발생했을 수 있기 때문이다. 국내에서는 아급성 원인의 상당수가 toxic hepatitis를 따르는 경우가 많다. 이런 환자들은 의식변화가 빨리 발현하지 않고 무기력감, 식욕 저하 등의 전신 증상과 간기능 이상 등으로 이미 오랜 시간 입원을 하고 있던 중 지속적으로 간기능이 악화되어 고빌리루빈혈증과 PT 연장이 심해지다가 결국 의식변화까지 오는 임상경과를 밟는다.

3. 병인

급성 간염을 일으킬 수 있는 모든 원인이 급성 간부전을 유발한다고 생각하면 된다. 국내 현황과 해외가 빈도 차이를 보이는데, 국내에는 A형 간염, 독성 간염, 급성 B형간염이 급성 간부전의 흔한 원인이다. Etiology를 고려하여 급성 간부전 환자 내원 시 평가할 항목들을 아래에 표로 담는다('**14장 입원 처방 실례**'의 급성 간염 항목보다 더 많으니 비교하시기 바란다). 검사 항목이 처음에 누락되면 급성 간부전 예후 판단에 도움되는 병인 확인이 더뎌지기 때문에 진단 초반에 검사를 빠뜨리지 않기를 바란다.

급성 간부전 기본 혈액검사 항목 예시

CBC with differential count
Prothrombin time, PTT
Liver panel (protein/albumin, ALP/GGT, AST/ALT, Total/direct bilirubin)
BUN/Cr, electrolytes
Mineral (phosphorus, ionized calcium, magnesium 포함)
Glucose, lipid profile, CRP, procalcitonin
Amylase, lipase
ABGA – arterial lactate, ammonia (ammonia는 venous도)
Urinalysis with microscopy, urine hCG (female)
Serum and urine osmolality
HBsAg/Ab, HBcAb IgM/IgG
HCV Ab, HCV RNA
HAV Ab IgM, IgG
HEV Ab IgM/IgG, HEV RNA
HIV Ab
IgM Ab *and/or* PCR for EBV, CMV, HSV, VZV
Antinuclear Ab (ANA or FANA), IgG, antimitochondrial Ab (AMA), anti–LKM Ab, anti–smooth muscle Ab
Ceruloplasmin, serum copper, 24hour urine copper
Acetaminophen level
Other toxicology screen
AFP, factor V assay (AFP도 간부전 예후 평가에 이용됨)
Blood type – ABO, Rh

4. 임상 양상

급성 간부전으로 간이식을 받은 경우 적출한 환자의 간을 보면 광범위한 hepatocyte의 necrosis 소견이 관찰된다. 이런 전격성 변화로 인해 환자의 징후는 아래와 같이 일종의 신드롬처럼 나타난다.

1) Brain and consciousness

진단 정의에도 들어가지만 간성뇌증의 다양한 단계를 보이며, 빠르게 악화되기도 하여 오전 회진과 오후 회진 시 환자상태가 다를 수 있어 hourly mental status evaluation이 필요하다. IICP (increased intracranial pressure) 및 cerebral edema 징후가 나타난다. Brain imaging을 촬영하게 되는데(책 머리말 참고), 추후 영상의학과 판독에는 빠져 있을 수 있으나 sulcus narrowing, ventricles와 cisterns의 compression과 effacement를 보이기도 한다.

2) Heart and lung

Myocardial injury발생이 가능하고 hypotension 동반도 잦다(심장 원인만은 아닌 여러 원인이 중첩된 듯). Acute lung injury나 ARDS양상을 보이기도 한다.

3) GI & liver

Multiorgan failure 양상으로 pancreatitis가 동반되기도 한다(매우 불량한 상태를 시사함). 간기능 저하는 언급할 필요도 없을 정도로 심하고 (gluconeogenesis와도 연관되어 저혈당 발생), 간실질은 1–2일 사이에도 shrinkage가 심해짐을 liver dynamic CT를 간부전으로 입원 중

재촬영하게 될 경우 확인할 수 있다. 문맥압 항진도 동반되어 혈소판 감소, 복수 동반도 보인다.

4) Endocrine

Glycemic control이 어렵고 adrenal crisis처럼 BP가 down될 수 있다.

5) Kidney

급성 신손상 동반이 잦다. 간내 대사 문제로 lactic acidosis가 발생한다.

6) Systemic

전반적으로 catabolism이 증가한 상태이다. SIRS나 sepsis 동반도 흔하다. Bleeding tendency는 PT prolongation이나 thrombocytopenia에 비해 심하지 않기도 하다.

5. 치료

상기 여러 징후에 맞는 제반 치료를 한다. 수액, nutritional support, 승압제, 광범위 항생제, (자가면역성 간염이 원인이거나, adrenal problem 시) steroid, mannitol(효과를 잠시 볼 수 있고 장기 투여는 피한다), N-acetylcysteine, intubation, CRRT, MARS, plasmapheresis 등의 support를 기본으로 환자 상태와 예후를 조심히 예측해가면서 간이식 대비가 필요하다. 진단한 기관에서 간이식이 어렵다면 이송 가능한 이식센터로 시기적절한 전원이 필요하다.

6. 예후 평가

Prognostication이라는 단어도 사용한다. 조직검사로 예후를 예측한 연구도 있지만, 출혈 우려도 있고 확인까지 시간이 소요되어 간조직 검사를 권하지 않는다. 이전 여러 연구에서 급성 간부전 예후 인자로 확실히 밝혀진 건 급성 간부전 원인과 간성뇌증의 단계이다. Favorable한 병인은 acetaminophen overdose, hepatitis A, pregnancy-related, ischemia이고 다른 원인은 불량하다고 본다. 간성뇌증 grade III-IV가 grade I-II에 비해 불량하다. **5장** 뒷부분에 언급한대로, King's College criteria나 MELD score가 대표적인 예후 예측 모델인데, 여러 연구를 종합하면 MELD score는 sensitivity가 더 높고, King's College criteria는 specificity가 더 높다. 2016년 미국 급성간부전 연구회에서 1,974명 환자 데이터를 토대로 급성 간부전 예후 모델을 새롭게 고안했다(**Reference #17**). 이 모델은 간부전의 원인, 승압제 필요성 여부, 간성뇌증의 단계, INR, bilirubin 5가지 항목으로 환자의 진단 3주 내 예후를 예측한다.

Artificial liver support system (인공간 보조 장치)

간의 다양한 기능에는 합성, 대사, 해독, 면역 등이 포함된다. 급성 간부전이나 급만성 간부전이 발생한 경우 간이식만이 유일한 치료 대안이 되는 경우가 잦은데, 자발 회복을 조심히 기다리며 공여자 준비까지의 시간을 벌어줄 **bridging therapy (교량치료)**가 필요하다. 체외 간보조 장치(extracorporeal liver–assist device)는 일종의 혈액투석처럼 해독기능에 초점을 맞춘 (1) artificial liver support와 hepatocyte를 활용한 (2) bioartificial liver support system으로 구분된다. 전자로는 **MARS®** (molecular absorbent recirculating system), **SPAD** (single–pass albumin dialysis), **Prometheus®** (fractional plasma separation device), **SEPET®** (selective plasma filtration therapy) 등이 포함된다.

각 병원에서 비교적 쉽게 접근할 수 있는 급성 혹은 급만성 간부전 환자의 보조적 교량치료는 **plasmapheresis (= plasma exchange)**이다. 추가 검증이 필요하나, 여러 이식센터에서 간부전 환자에서의 유용성을 발표했다. 요양급여 고시 제2020–152호에서는 AABB (American Association of Blood Banks) & ASFA (American Society for Apheresis)의 임상진료지침 category I, II에 해당하는 경우로 ABO mismatch LT 및 resection or LT 후 급성 간부전으로 제한하여 plasmapheresis 급여 기준을 고시했으나 ASFA 2019 guideline (**Reference #18**)에 따르면 급성 간부전 자체가 ideal body weight의 8–12% 혹은 15%의 FFP를 사용하는 **high–volume plasmapheresis** 권장 적응증 category I (recommendation grade 1A)이어서 혈장교환술 총 3회를 연속 시행해 볼 수 있겠다. 다만 삭감 우려로 보험팀 사전 문의와 시술 필요성에 대한 자세한 의무기록을 남기면 좋겠다.

8

간경변증
합병증 관리

용어부터 정리하자. 흔히 liver cirrhosis를 간경화라고 부르지만(아마도 2000년대 이후) 학회 출판물의 의학용어를 '간경변증'으로 통일하여 사용 중이다. 간성혼수도 '간성뇌증'으로 바뀌었다. 간경변증은 엄밀하게 말하면 간 조직의 섬유화 최종 비가역적 단계인 결절 변화를 보이는 병리학적 상태이나, 보통 조직검사 없이 증상과 징후 및 영상학적 특징으로 임상진단한다. '**조기 간경변증(early cirrhosis)**'이나 '**진행성 간경변증(advanced cirrhosis)**'으로 진행 상태를 구분, 강조하기도 한다.

진행성 간질환에서는 여러 합병증이 발생한다(만성 간염이나 간경변증, 간암이 아닌 앞장에서 언급한 심한 급성 간염에서도 진행성 간질환이라 하기도 하여 약간 혼란스러울 수 있겠다). '**대상성(代償性)**'이란 단어를 알아야 하는데, '보상이 된다' 혹은 '보완이 된다'는 의미이다. 반대말인 '**비대상**'은 보완이 안 되는 상태이므로 비대상(성) 간경변증은 간기능의 보완이 안 되어 합병증이 발생한 상태를 뜻하며 **decompensated cirrhosis**라 한다. Child–Pugh class B나 C인 간경변증을 비대상 간경변증이라 칭하기도 한다.

다음의 내용을 읽으시기 전에 대한간학회 홈페이지에서 회원가입 절차 없이 다운받을 수 있는 **2017, 2019년 간경변증 합병증 관리 진료 가이드라인(Reference #1)**을 정독하시길 권장한다. 간학회 홈페이지의 다른 질환에 대한 가이드라인도 큰 도움이 된다. 다만, 진료 가이드라인이란 여러 연구를 정리하여 임상가에게 도움이 되는 참고사항이지 표준 진료지침이 아님을 명심하자. 환자 개개인의 특성이 다르기에 근래에는 '**맞춤치료(tailored therapy)**'라는 개념도 언급되는 시대이다.

대표적인 간경변증의 합병증을 살펴보겠으며, 기존 임상 가이드라인에 는 언급이 없거나 재차 강조할 부분을 다루겠다.

1. 복수와 자발성 세균성 복막염

● 복강 내에 비정상적으로 체액이 저류되는 상태인 복수는 영어로는 'ascites'이다. 단어 끝의 's'를 꼭 붙여서 의무기록에 작성하시기 바란다.

● 복수는 양에 따라 영상학적으로 scanty, mild, moderate, large amounts 등으로 언급되는데, 판독 의사마다 다소 기준이 불분명하며 임상의사 사이에도 판단이 다른 경우도 있다. 객관적인 기준을 아래와 같이 3 grades로 나눌 수 있다.

Grading of ascites

grade 1 – 진찰로는 발견이 어렵고 초음파 등으로 확인되는 정도
grade 2 – 관찰이나 촉진을 통해 확인할 수 있는 정도
grade 3 – 현저한 복부 팽만을 보이는 수준

● Child–Pugh scoring 시 복수 항목의 1점은 복수가 없을 때, 2점은 mild ascites, 3점은 moderate to severe ascites인데, 2점과 3점의 명확한 구분이 어려워서 이뇨제로 조절 잘 되는 복수를 2점, 이뇨제로 조절이 어려운 경우를 3점으로 평가하기도 한다.

● 복수가 처음 발생하여 외래를 방문하면 전문의들은 복수에 대한 평가를 위해 보통 입원을 권유하고 복수천자를 포함한 제반 평가를 시행한

다. 복수천자 시 여러 검사를 시행하는데, 교과서적으로도 제일 중요한 항목을 한 가지 꼽는다면 **SAAG (serum-ascites albumin gradient)** 임은 족보이다. 간경변증의 문맥압 항진증과 관련된 전형적인 복수는 보통 SAAG가 1.1을 훨씬 초과하고 ascites albumin만 봐도 0.5 이하로 낮다. 가끔 serum albumin 검사일과 복수천자 시행일이 다를 수 있는데, 혈액검사 일자와 1-2일 차이는 무방하다고 개인적으로 생각한다.

● 복수 관리법은 크게 3가지로, (1) 저염식이 근간이며, (2) 경구 이뇨제 투여, (3) 이뇨제로 조절이 어려운 경우 복수천자를 시행한다. 내과적으로 복수 조절이 어려운 경우를 '**난치성 복수(refractory ascites)**'라 하며, 다른 합병증을 동반한 비대상 간경변증의 치료 방안의 대원칙과 마찬가지로 난치성 복수의 궁극적이면서 확실한 치료법은 간이식이다.

● 저염식의 기준은 염분(염화나트륨) 기준으로 하루 총 5 g 내이다. 나트륨만으로는 하루 2 g이다. 계량스푼이 없는 경우, 배스킨라빈스 핑크 스푼(시식용 작은 스푼 아님) 하나에 소금을 편평히 담으면 3 g 정도이니 두 스푼 안 되는 정도라 설명하면 되겠다. 입원 환자는 특수식인 간경변식(= 간경화식)을 신청하고 영양교육을 받도록 안내한다. 식사량 자체가 너무 부족한 환자에게는 일반식을 처방하기도 한다. 식사처방도 의사의 기본 처방이므로 각 병원에서 제공하는 특수식 종류를 영양과에 문의하거나 병동에 비치된 안내서를 참고하기 바란다.

● 경구 이뇨제는 간경변증의 복수 발생 기전을 감안하고, 시너지 효과를 위해 spironolactone과 furosemide를 투여하는데 알닥톤 metabolites의 반감기가 길어 일정 용량으로 2-3일 정도 투여 후 반응에 따라 증감을 결정한다. 평소 60 kg 환자가 복수와 하지부종으로 인해 70 kg으로 입원했는데, 이뇨제 사용 1일 경과 후 체중이 빠지지 않았다고 해서 다음 날 곧바로 이뇨제를 증량하지 말자는 의미이다.

● 간경변증 환자의 수액 처방 시 염분이 함유된 IV는 분명한 투여 목적이 있어야 한다. 간경변증 환자의 I/O는 negative인 편이 좋은데, 가장 객관적이고 정확한 I/O 체크법은 daily body weight check-up이다(**14장** 참고). 체중 측정이 어렵거나 복수를 민감하게 조절하는 경우 복위(abdominal circumference)를 측정하기도 하는데, 등과 배에 매직으로 표시하지 않으면 오히려 부정확한 경우가 많아, 잦은 복부 진찰로 복수 상태 추이를 보는 편이 오히려 더 정확하다고 생각된다.

● (오프 후) 아침에 출근하면 밤 사이 환자에게 발생한 특별한 이벤트를 점검하는데, 이때 간경변증 환자들의 체중 추이를 전날이나 이전 주와 비교해야 한다.

● 하지부종을 동반한 경우 체중감량 목표치를 하루 1 kg까지 잡기도 하는데, 하지의 pitting edema도 손가락으로 눌렀을 때 눌러지는 깊이를 대략 2, 4, 6, 8 mm 로 각각 1+, 2+, 3+, 4+ grading 한다.

● 복수천자를 1회 needling으로 부드럽게 성공했으나 bloody ascites가 확인되면 '**diagnostic paracentesis**'로 10~20 cc만 뽑아 검사하고 더 이상 배액을 진행할 지는 책임의사에게 문의가 필요하다. Bloody ascites는 **혈복강(hemoperitoneum)**을 시사하며, 특히 복통을 동반한 bloody ascites가 발생하면 HCC rupture를 배제하기 위해 입원 중 촬영한 영상 검사가 없다면 dynamic CT를 촬영하여 확인한다(**12장** 참고). 간암 파열 시 응급 **TAE (transarterial embolization)** 혹은 수술을 결정받아야 한다. 참고로, liver의 mass가 rupture 되는 건 간암 외에도 농양이나 낭종일 수도 있다.

● Pinkish ascites가 확인되는 경우 '**therapeutic paracentesis**' 차원으로 drain을 예정대로 진행하기도 하는데, non-bloody ascites

보다 bloody한 경우 예후가 나쁘다는 연구 결과도 있었다.

레지던트의 인턴 교육

보통 anti-McBurney's point에서 blind로 복수 천자를 시행하는 데, 복벽이 두꺼우면 천자가 어려운 경우도 있어서 초음파 마킹이 필요하기도 하다. 복수 천자는 보통 인턴 job인데, 새 인턴(= 초턴)들이 '열정적으로' 근무를 시작하는 매년 3월부터 상반기에는 복수 천자 시 더 주의를 요하여, 1-2회 천자 시도 후 불가능하면 더 시도하지 말고 레지던트에게 알리라고 병동에 언급을 남겨두어야 한다. 누구나 시술이 실패할 수 있음을 모르고, 환자 옆에서 조용히 식은땀을 흘리며 10번 이상 천자를 시도하여 통증 유발 및 의인성 혈종이나 혈복강을 초래할 수 있다. 또한 needling 시 바늘을 일직선으로 찌르지 말고 복벽을 1-2회 지그재그로 진입해야 추후 바늘 제거 후 needling tracking이 막혀 복강내 남은 복수의 oozing을 최소화할 수 있다. 후배 인턴들의 술기 교육 및 지도도 레지던트 선배들의 교육자적 자질 함양 항목에 포함된다(내과학회 홈페이지에도 명시되어 있다). 술기 전달 과정 중 친밀해져서 교제와 결혼으로 이어지기도 한다.

● 천자액 검사 시(복수뿐만 아니라 흉수 등 다른 체액 검사도 마찬가지로) 원심분획을 하여 검사하는 cytology와 cell block도 함께 처방하는 습관을 가져야 한다. 블록 처리를 하면 면역염색을 시행하여 malignant ascites나 effusion의 진단율을 높일 수 있다. 의뢰 검체 체액량은 많을수록 좋다.

● 복수는 third space에 고여 있는 불필요한 체액이지만 **대량 천자(large volume paracentesis)** 시 생체징후가 불안정해지는 합병증(**postparacentesis circulatory dysfunction**)도 발생할 수 있어 특히 처음 복수 천자를 받는 환자는 복수 천자 중간에 V/S check를 권장

한다. 복수 천자는 대개 3–5 L를 하는데(흉수천자 1회 최대 배액량과 다름과 그 이유는 아실 것이다), 복수 2 L 천자 당 20% 알부민 100 mL 한 병(알부민 20 g) 보충을 의학적으로 권유하지만 2022년 1월 현재 급여 기준으로는 복수 3–5 L 천자 시 알부민 1병, 5 L 이상 천자 시 알부민 2병이 급여 투여가 가능하다(**13장** 참고). 복수 배액 속도는 합병증 발생과 무관하였다는 선행 연구가 있었다.

● 복수천자액 검사 항목의 기본은 SAAG 확인 위한 albumin과 cell count & differential이다. WBC가 PMN 기준으로 250 이상이면 SBP이지만 PMN 250 이하라도 복막염일 수 있어 복수액 color가 turbid하거나 복막염이 임상적으로 의심되는 경우는 예방적 항생제 주사 치료가 필요하다. 참고로 복막염 환자의 1/10은 복통을 호소하지 않는다. Bloody ascites인 경우 RBC와 WBC의 비율을 대략적으로 봐서 혈액이 섞인 결과인지 감별해야 한다. WBC가 2,000 혹은 그 이상으로 높을 때에는 SBP가 아닌 **secondary peritonitis** 가능성을 시사하여 복수 천자 1–2일 사이 촬영한 복부 CT 검사가 없었다면 CT를 촬영하여 감염 포커스를 찾아야 한다. SBP가 동반된 경우 신기능도 취약할 수 있어 contrast–induced nephropathy 발생을 유의해야 한다.

악성 베토벤과 간경변증, 그리고 복막염

개인적으로 가장 좋아하는 작곡가로서, 서재에 액자도 걸어 둔 베토벤은 건강악화 및 사인에 납 중독도 언급되는데, 부검 소견을 보면 알코올 간경변증 및 복막염은 분명히 확인되었다고 한다(Reference #19). 현대에 베토벤이 살았다면, 성격상 알코올 의존증은 정신건강의학과 진료 권유를 무시했을 것으로 예상되고, 항생제 치료를 하여 복막염 고비는 넘겼겠으나 간이식까지 연결되지 않는다면 결국 간질환에 따른 죽음을 피하지 못했을 것이다.

● **간성흉수(Hepatic hydrothorax)**도 문맥압이 항진된 간경변증 환자에게 동반되는 합병증이다. 간성흉수는 간경변증 환자에서 발생한 흉수를 의미하나, 간경변증 환자의 심장, 폐 질환에 따른 흉수는 간성흉수라고 부르지 않아서 간성흉수는 심폐질환을 동반하지 않는 간경변증 환자의 흉수로 정의를 제한한다. 대개 우측에 발생하고 ascites를 동반하지만 좌측 혹은 양측성 흉수이거나 복수 없이 흉수만 발생하는 환자들도 종종 보임을 유의해야 한다. Fluid analysis상 protein과 cell count가 낮다. 치료의 근간은 복수 환자와 마찬가지로 negative sodium balance를 목적으로 한 염분 제한과 이뇨제 투여이다. 호흡곤란 등의 증상이 심할 때 thoracentesis를 하는 편이 가장 좋고, thoracentesis가 제한될 때에는 PCD catheter를 당분간 유치했다가 빼기도 한다. 복수와 흉수가 모두 심할 때에는 한 날에 복수천자와 흉수 천자를 시행하기도 하는데, 복수천자를 먼저 하면 흉수천자를 환자가 더 편하게 받을 수 있다. 흉부외과 전문의의 도움을 받아 thoracoscopy하(VATS) diaphragmatic repair를 시행하기도 한다. 교량치료인 TIPS 및 궁극적인 간이식도 치료법에 포함된다. 여러 합병증 발생 우려가 높아 피해야 할 시술을 숙지하는 것이 중요한데, chest tube insertion & drainage(기흉이 심한 경우 제외)와 talc 등의 chemical을 이용한 pleurodesis, open surgical repair가 포함된다.

2. 간신증후군

● 진단명('증후군')에서 알 수 있듯이 아직 간신증후군은 기전이 완벽하게 규명되지 않았고, 신기능 저하가 초래될 수 있는 다른 원인을 배제한 후 진단 가능하다. 선행 원인을 명확하게 배제하기 어렵거나 원인이 중첩되기도 하여 임상적으로 진단한다. 치명률이 높아 주의가 필요하다. 이전에 비대상 간경변증과 관련하여 경고한 적이 없다면 간신증후

군이 진단되면 환자와 가족에게 warning할 시점이다.

● 간경변증 환자의 급성 신손상 및 간신증후군 정의에 과거에는 혈청 크레아티닌 수치가 1.5 혹은 2.5 mg/dL 이런 식으로 구체화되었었는데, 최근에는 크레아티닌 절대치 기준은 빠졌고 아래 기준에 맞춰 진단한다(**Reference #20**). **13장**에서 언급할 terlipressin의 간신증후군에서의 급여 인정 기준에 1형, 2형 간신증후군이 구분한 옛 기준을 따르고 있었으나 요즘에는 간신증후군의 아형을 분류하지는 않는다.

급성 신손상 및 간신증후군 진단 기준(Gut, 2015)

Acute kidney injury
(1) Increase in Cr ≥ 0.3 mg/dL within 48 h; or (2) percentage increase Cr ≥ 50% from baseline (which is known, or presumed, to have occurred) within the prior 7 days

Hepatorenal syndrome
All of followings:
• Diagnosis of cirrhosis and ascites
• Diagnosis of AKI according to above AKI criteria
• No response after 2 consecutive days of diuretic withdrawal and plasma volume expansion with albumin 1 g/kg bodyweight
• Absence of shock
• No current or recent use of nephrotoxic drugs (NSAIDs, aminoglycosides, iodinated contrast media, etc)
• No macroscopic signs of structural kidney injury, defined as:
  - Absence of proteinuria (> 500 mg/day)
  - Absence of microhematuria (> 50 RBCs per high power field)
  - Normal findings on renal ultrasonography

● 치료는 우선 terlipressin IV + 알부민 보충이며, 만 3일 투여 후 투여 개시보다 30% 이상 creatinine이 감소해야 반응이 있다고 판단하여 지속적으로 급여 투여가 가능하지만 예외도 있다(**13장** 참고). 투여 지속 일수는 환자마다 다를 수 있어 회진 시 책임의사와 상의한다. 신대체요법의 일반적 적응증에 해당하면 신장내과 협진 의뢰가 필요하다.

3. 정맥류 출혈

● 정맥류 출혈도 **간경변증 가이드라인(Reference #1)**에 자세히 설명되어 있다. 일반적으로 통용되는 내시경적 지혈술과 영상의학과 인터벤션 시술 약어들을 꼭 숙지하시기 바란다(**EVL, EVO, BRTO, PARTO, TIPS** 등 구글링하여 영상자료 확인을 권한다).

> **약어 사용 시 주의점**
> 각 병원마다 사용하는 단어가 있는데(세브란스 – 응급내시경 지혈술을 'vigorous diagnostic approach, VDA', CMC – BST 체크를 'E/T (Eyetone – 60년대 혈당측정기 이름)', 고대안암 – prothrombin time을 'P-time' 등) 각 센터에서는 의사소통이 되겠으나 기관 외부의 다른 의료인이 이해를 못하는 경우도 있거니와 의료기록이 법적으로 사용되는 경우가 있어서 기록으로 남길 경우에는 사용을 가급적 자제해야 한다.

● 정맥류 출혈이 의심되는 경우 빠른 내시경 시행이 필요한 건 분명하지만, 쇼크이거나 의식상태가 불량하고 aspiration 우려가 높을 때에는 응급 ABC에 맞춰 기관삽관, 인공호흡기 부착, IV line을 확보하여 환자 안정을 도모하면서 vasoactive drug인 terlipressin과 혹시 모를

peptic ulcer bleeding을 커버하기 위한 high dose PPI IV, 항생제 IV(간경변증 환자의 정맥류 출혈 시 항생제 투여는 재출혈도 막고 세균 감염 가능성도 낮춘다) 시작이 우선이다. 응급내시경 시행의 일반적인 기준은 내원 12시간 내로 알려져 있다.

● 쇼크이면서 환자의 의식상태까지 나쁘면, 위의 언급대로 기관삽관 후 **SB tube 삽입**이 필요하다. SB tube 삽입에 대한 가이드라인은 모호한 현실이다. SB tube 삽입을 경험해보지 않으면 난해할 것이라 걱정할 수 있는데, 요즘 나오는 SB tube는 스타일렛이 있어서 삽입 시 꼬이지 않아 L tube보다 삽입이 용이하다. SB tube 삽입술은 대한내과학회 **"전공의 수련 핵심 역량"**에도 포함되어 있고(**Reference #21**), '비현실적' 혹은 '초현실적'으로 대한의학회 **"인턴진료지침서"**에 SB tube 삽입과 기관절개술(tracheostomy 맞다!)도 포함되어 있다. SB tube 키트에 첨부된 낱장의 짧은 한글 설명서도 한 번 읽어 보고 시작하기를 권장한다. 키트 내에는 버릴 것이 없다. 포함된 스폰지 블록도 콧구멍의 contact injury를 줄이기 위해 코와 SB tube 접촉 부위 사이에 끼워준다.

8 간경변증 합병증 관리

SB tube 관련 중요사항

(1) SB tube가 필요할 환자라면 상태가 매우 불량할 것이다. 정맥류 출혈 환자는 다른 이유로도 사망할 수 있는데 의료분쟁도 있었다(**Reference #22**). 흡인 및 식도 파열, 호흡곤란 위험을 낮추고 SB tube 삽입으로 발생하는 환자의 불편감을 낮추는 차원에서라도 기관삽관과 진정제 투여가 선행되면 좋다(강조하고픈 개인 사견임). 중환자실에서 기관삽관된 상태에서 SB tube 제거 후 내시경 시행도 안정적으로 할 수 있다.

(2) 식도정맥류나 위정맥류의 collateral vessel이 발달하는 해부학적 위치를 고려할 때 gastric ballooning만 잘 해두어도 지혈이 잘 되나 지혈이 불충분하면 esophageal ballooning까지 한다.

(3) SB tube 삽입 직후 gastric balloon 위치가 적절한지 확인을 위해 traction(수액 500 cc를 키트 내에 동봉된 끈으로 연결하여 환자 다리 쪽 폴대에 걸어서 당김)이 걸린 상태로 chest AP portable로 촬영하여 diaphragm 직하방 gastric cardia 위치에 gastric balloon 공기 음영을 확인한다. 200-250 cc 정도 balloon하니 공기 음영 직경이 대충 7-8 cm 정도일 것이다.

(4) SB tube를 지속적으로 하면 balloon으로 인한 위나 식도 접촉면의 허혈성 변화를 고려하여 traction release해 주어야 하는데, 일단 SB tube를 삽입하고 3-6시간은 release 없이 생체징후가 안정적인지, 혈색소 감소가 없는지, SB tube 가운데에 있는 gastric aspiration port로 fresh blood가 역류하지 않는지 관찰한다. 지속적 활성 출혈이 없다면 트랙션을 10분 정도 풀어주고 이후 3시간에 10분씩 풀어줄 수 있다. Esophageal ballooning을 함께 했다면 트랙션을 풀 때 잠시 식도 벌룬을 deballooning 한다(gastric balloon은 deballooning 필요하지 않다).

(5) SB tube는 위기를 넘기기 위한 교량치료로 하며 24시간 이상 유치를 피하라고 한다. 제거 시점은 책임의사와 논의하는데, 보통 환자가 안정되면 내시경을 시행하기 직전에 제거한다.

4. 간성뇌증

● 간성뇌증은 간경변증 환자에서 발생하는 경우가 가장 흔하지만(type C-cirrhosis), 급성 간부전에서 발생하거나(type A-acute liver failure), 기저 간질환 없이 간내 혈관의 portosystemic shunt로 발생하는 경우(type B-bypass)도 드물게 있다. 각 encephalopathy type 마다 간성뇌증 치료가 달라서 급성 간부전에서는 lactulose 효과가 제한되고 간이식이 필요하며, shunt는 occlusion이 필요하다.

● 간성뇌증은 유발요인 확인이 가장 중요하다. 가장 흔한 원인은 변비, 단백질 과다 섭취이고 그 외 탈수, 출혈, 감염, 약제 등 여러 원인이

선행할 수 있다.

● 간경변증 환자에서는 배변 횟수 체크가 중요하다. (老)교수님이 회진하실 때 환자 복부 진찰하시며 *"식사 잘 해요? 잘 잤구요? 대변은 봤어요?"*라고 환자에게 물으시는 이유가 있다. 대가의 깊은 뜻을 모르는 옆에 있던 새내기 의사나 실습나온 학생들은 '영감님, 회진이 아니라 대충 인사만 하고 가시네'라고 생각할 수 있겠다.

● **Minimal Encephalopathy**('미세뇌증'이라 부르다가 '**최소 간성뇌증**'으로 정식 용어가 변경되었다)부터 coma까지 발현 정도가 다르며 위중도도 다르다. Ascites와 마찬가지로 간성뇌증 grade를 나눠 의료진 사이의 의사소통을 돕는데, 간성뇌증의 단계는 West Haven criteria(미국 지명 '웨스트 헤이븐'이다. 전공의 시절 '웨스트 하벤'으로 불렀던 부끄러운 기억이)를 따른다.

West Haven criteria for hepatic encephalopathy

단계	임상 양상
Minimal	Psychometric test로 진단 가능한 초기 단계
I	수면 양상 변화, 계산 능력 저하, 집중력 감소
II	Flapping tremor, 시간에 대한 지남력 상실, 뚜렷한 인격 변화
III	자극 반응 있으나 비몽사몽, confusion
IV	Coma – 자극에 반응 없음

*명확한 구별이 어려울 때가 많다. I–II단계를 low grade, III–IV단계를 high 혹은 deep grade라 한다.

● 최소 간성뇌증은 psychometric test가 필요한데, 한양대 전대원 교수님께서 인터넷이나 핸드폰으로 접속하여 무료로 확인할 수 있는 **홈페이지(Reference #23)**를 구축해두셨다. 전형적인 간성뇌증은 아닌데 일상생활에 사소한 어려움을 보이는 환자에서 최소 간성뇌증이 잠재했을 수 있어 검사를 적극적으로 권유한다.

● Lactulose 외에 간성뇌증 재발을 낮추는 rifaximin 투여도 잊지 말자. 리팍시민 투여 이후 간성뇌증 재발 빈도가 낮아짐을 여실히 체감한다. 참고로 기억나는 최근 20년 사이 NEJM에 소개된 hepatology original articles은, (1) 간성뇌증 환자의 rifaximn, (2) 간암 환자에서 sorafenib, (3) 스탠퍼드에 계신 한국 출신 간장학 학자이시며 조만간 미국간학회 수장을 맡으실 **W. Ray Kim** 교수님의 MELD-Na, 그리고 (4) 가장 최근인 2020년 간암에서 atezolizumab + bevacizumab 연구였다.

5. 응고 장애

● 2016년에 나온 대한수혈학회 및 질병관리본부의 **제4판 수혈가이드라인**도 읽어보시기 바란다(**Reference #24**). 여러 원칙 및 각 수혈 제제별 설명이 있다.

● 간경변증 환자는 혈소판감소증과 응고장애로 인해 출혈 경향이 일반인에 비해 높고 상대적으로 vascular occlusive disease 발생은 흔하지 않지만 심근경색, 뇌경색이 발생하기도 한다.

● Platelet concentrate나 FFP 수혈을 하게 되는데, 평소 추적 혈액검사상 혈소판 저하증과 PT 연장이 확인되어 '루틴으로' 수혈하는 건 큰

도움이 안 된다(**Reference #25**). 수혈 후 잠시 수치가 조금 올랐다가 떨어진다. 명확한 출혈 증상이나 징후가 없다면 수혈하지 않는다. 이왕 FFP나 PC를 수혈할 때에는 2–3 units가 아닌, 6–8 units 처방을 권유한다. PC나 SDP보다는 FFP가 빨리 준비된다.

● Vitamin K 경구 제제가 요즘에는 생산되지 않고 주사제로만 있는데, 간질환에서는 효과가 제한되어 처방이 불필요하다. Vitamin K는 와파린 부작용으로 **overanticoagulation**이 심할 때나 vitamin K deficiency 시 투여한다.

● 간경변증 환자에서 coagulation profile을 검사하면 DIC가 아니어도 DIC와 유사하게 나와서 해석에 주의를 요한다.

적절한 용어 사용 및 프리젠테이션

오전 회진 전 전날 입원 환자를 발표하는 분과 집담회를 상상해보자. "OOO교수님 외래 추적하시는 B형간염 간경변증 56세 남환 홍길동님, 최근 수일간 변비가 심해지면서 발생한 걸로 추정되는 간성뇌증으로 어제 응급실 경유하여 입원했습니다. 합병증으로 간성뇌증 발현은 이번이 처음입니다. 응급실에서 이니셜 간성뇌증 그레이드 II였고, lactulose enema 1회 후 의식 호전되었습니다. 어제 암모니아 230, 오늘 아침 110입니다. 신기능이나 전해질 수치는 큰 이상 없습니다. 멜드 스코어 20점입니다."라는 환자 소개 30초면 아침 회진 분위기가 밝아질 것이다. 교수님은 미소를 띄우며 "헤파토 관심 있나?", "(주니어 스텝에게) 회식 언제 하지?" 하실 거고, 이런 보고에 익숙하지 않은 동석한 다른 전공의는 상대적으로 위축될 수 있다.

6. 감염 취약성

● '면역 저하' 및 '면역력 보강'이란 말은 요즘 홍삼이나 각종 건강보조식품 광고와 관련하여 남용된다. 언론에서 면역을 언급하는 의사 중 진정한 면역학 전문가는 없는 듯하다. 의대에서 배우는 엄밀한 의미의 면역결핍질환도 임상 현장에서 극히 소수이다. 이와는 별도로, 간분과에서 바이러스 간염이나 간경변증, 간암에 대한 immunologic study가 활발하다.

● 간경변증 환자에게 카운셀링하는 과정 중 이해를 돕기 위해 '면역 저하'에 대해 언급하기도 한다. 실제 간경변증 환자는 감염에 취약하고, 감염으로 상태가 악화되기도 한다. **Reference #26**에 소개하는 NEJM의 리뷰 아티클을 읽어보시기 바란다.

● 간경변증 환자에서 예방적 항생제 사용이 bacterial infection을 예방하는 데 도움이 되는 경우는 (1) 위장관 출혈, (2) 저단백(< 1.5 g/dL)의 복수를 동반한 진행성 간경변증 환자의 SBP primary prophylaxis, (3) SBP 재발을 막기 위한 secondary prophylaxis이다. 당연하지만, 무분별한 항생제 사용은 다약제 내성을 유발하거나, *Clostridium difficile* infection, 항생제가 유발하는 독성이나 타 약제와의 상호작용 발생의 위험을 수반한다. 결국, 예방적 항생제 투여의 득실을 고려하여 균형을 맞추는 수밖에 없다.

● 가끔은 3세대 세파나 퀴놀론보다 강력한 coverage가 필요한 경우가 있는데, Spanish stewardship program에서는(**Reference #27**) (1) severe sepsis 혹은 septic shock이거나 APACHE II ≥ 15 혹은 SOFA score ≥ 8이면 meropenem과 glycopeptide 병합 치료에 필요 시 ciprofloxacin, amikacin and/or colistin 중 1가지 이상을 추가하

고 candida 감염 가능성도 우려될 때는 echinocandin도 추가하도록 제시한다. (2) 상기 기준에 해당하지 않으면서 MDR bacteria 감염 위험 요소가 있을 경우에는 ertapenem ± glycopeptide를 투여하며, (3) Severe sepsis/septic shock도 아니고 MDR 위험요소가 없다면 ceftriaxone 투여를 권장한다. 감염 우려 초기에 항생제를 적절히 투여했다면 투여 만 2–3일이 지나서 재평가를 하고 적절히 **deescalation** 해야 한다.

이식 상담

간이식의 적응증을 숙지해야 적절한 시점에 이식전문의에게 의뢰할 수 있다. 환자나 가족에게 이식을 therapeutic option으로 설명하지 않으면 법적 문제가 될 소지가 있어 충분히 상담하고 권유 내용을 의무기록에 남겨야 한다. 간이식 적응증은 크게, (1) 급성 간부전으로 자발 회복이 어렵다고 판단될 때 응급 간이식, (2) 비대상 간경변증의 합병증이 반복되고 내과적으로 조절이 어려울 때(**만성 간부전**) 및 만성 간질환 환자에서 급성 원인에 의해 악화되었을 때(**급만성 간부전**), (3) **Milan criteria**를 만족하는('under Milan' 혹은 'within Milan'이라 부른다) 의미있는 문맥압 항진을 동반한 간암 환자에서이다. 간암 환자의 이식 기준은 다른 criteria를 사용하기도 하고 **downstaging** 후 이식하기도 하나, (일반)내과 전문의나 전공의는 기본적으로 밀란 척도만 알아도 된다. 밀란 척도는 간외 전이와 혈관 침범이 없는 (1) 5 cm 이하의 단일 종괴, 혹은 (2) 각각 직경 3 cm 이하 1–3개까지의 간암 결절인 경우이다.

세부전공 결정

인턴 때 레지던트 전공 선택 후 내과 전공의는 세부전공을 또 한 번 정할 기로에 놓인다. 물론 내과전공의 과정만 마친다고 불충분하지는 않다. 내과보드 취득 후 다양한 환자를 보시는 개원가 선생님 중 강력한 내공을 소유한 진정한 '무림의 고수'도 많음을 느낀다. 내과 전공의 과정이 4년제에서 3년제로 바뀐 배경 중에는 많은 전공의들이 보드 취득 후 세부전공 과정을 거치는 경향도 반영되었다고 한다. 4년제 시절 3년차때부터 세부전공 파트로 픽스하는 일부 병원도 있었다.

세부전공 관련하여 선배 내과의사의 충고 내용은 뻔하기도 한데, (1) 최근 의료계의 동향에 좌우되지 말고, 본인이 20년 후 회고할 때 후회하지 않을 전공을 선택하라, (2) 결정이 어려울 때에는 이 파트는 도저히 안 되겠다는 분과를 먼저 배제하라, (3) 파트 교수님만 보고 전공을 선택하지 말라는 것이다. 소위 인기있는 분과는 수 년마다 유행이 바뀌는 듯하다. 환자를 보며 지겹다고 느끼지 않고 보람을 느낄 수 있을 분과 선택이 최선이겠다. 개인 성격에 맞지 않는 분과도 존재하는데 이 점은 본인이 가장 잘 알 것이다. MBTI 성격 유형에 따른 내과 세부전공 선택 차이가 있는지 기성 의사들을 분석해보면 후배들에게 도움이 될 수 있겠다(의학교육과 교수님들의 연구 분야겠다). 멘토 선택도 신중을 기해야 하는데, 중요한 건 멘토가 본인의 인생을 이끌어주는 게 아니라 방향을 제시할 뿐이지 멘티 본인의 운명은 스스로 책임지고 개척해야 옳다.

간경변증 환자의 수술 전 평가 및 협진

1. 간분과로의 타과 협진

간분과 전문의는 외래나 입원 환자를 대상으로 타과 협의 진료도 많이 한다. 주로, (1) pre-op lab 포함한 간기능 이상, (2) CT상 우연히 발견된 간내 결절이나 종괴[치료를 필요하지 않은 낭종과 혈관종, 담도 과오종 (biliary hamartoma), eosinophilic granuloma 등이 흔함], 그리고 (3) 기존 간질환 환자의 수술 전후 평가 및 관리에 대한 내용이다.

2. 간질환 환자의 마취 및 수술 후 발생 가능한 임상적 문제

급, 만성 간질환 환자에서 마취 및 수술 후 발생 가능한 문제점은, (1) 수술 후 간기능이 더 악화되거나 드물지만 최악의 경우 간부전으로 진행, (2) 수술 후 healing이 더디거나 출혈이나 감염 합병증 발생 우려 증가, (3) 기저 질환으로 인한 섬망이나 알코올 금단 증상 발생 등이다.

급성 간염은 응급을 요하는 수술이 아니라면 권고하지 않는다. 전통적으로 AST나 ALT가 정상 상한치의 2배(80 U/mL) 이상인 경우 간효소 회복을 기다리라는 답신을 주었는데 이 답변은 근거가 불확실하다. 알코올 간염 환자는 단주한 지 48-72시간 이내인 경우 응급수술 적응증이 아니라면 수술을 권유하지 않는다. 진통제나 다른 약제 복용 후 급성으로 간효소가 상승한 증거가 보일 경우에도 간기능 회복 추세를 보도록 수술 지연을 권고한다. 발열, 우상복부 통증(압통이 있기도 함), 간기능 이상, (secondary change로 인한) gallbladder wall thickening으로 응급실을 방문한 급성 간염 환자가 가끔 급성 담낭염으로 오인되어 외과로 연결되어 불필요한 담낭절제술을 받고, 수술 후 간기능이 더 악화되는 경우가 있다. 다만, 근골격, 심혈관, 췌담도 질환 환자는 이차적인 변화로 간기능 이상을 동반할 수 있어 이런 경우는 수술을 예정대로 진행해야 한다.

3. 간경변증 환자의 수술 전 위험도 평가

조절이 잘 되는 만성 간염이나, 지방간질환, 대상성 간경변증 환자는 상기한 문제가 거의 발생하지 않아 수술에 큰 지장이 없다. **3장**에서 간효소는 간기능으로 중요한 비중을 차지하지 않으며, **5장**에서 liver fibrosis 관련 몇몇 모델 제외하고는 포함되지 않는다고 밝혔다. 지방간 환자 중 평소 간효소가 40–100 정도인 환자가 꽤 많다.

OP risk stratification

간분과 의사들은 Child–Pugh class와 MELD score를 perioperative risk stratification(위험도 산정)에 이용한다. 급성 간염이 아니라는 가정 하에, (1) 간경변증이 없거나 C–P class A 혹은 MELD 10점 미만인 간경변증 환자는 마취 및 수술에 tolerable하다. (2) C–P class B이거나 MELD 10–15면 마취 및 수술을 조심히 시행하고 수술 후 면밀히 관찰하라고 권유한다. (3) C–P class C 혹은 MELD 15–20 이상인 경우에는 가급적 수술을 피하고 비수술적 시술/치료를 권장한다.
간혹 협진 의뢰서 제목이나 내용에 'operability'를 묻는 경우가 있는데, 수술 적합도는 surgeon이 정하고 physician은 위험도를 산정한다고 함이 맞는 표현이겠다.

MELD score와 간경변증 환자의 수술 후 위험도와의 연관성도 과학적으로 분석되어 수술 후 7일, 30일, 90일, (수술과는 무관할) 1년, 3년 후 probable mortality risk가 예측, 계산된다. Mayo Clinic의 online calculator를 방문해보시기 바란다(**Reference #29**).

4. 수술 후 간기능 이상

수술 후 간기능 이상도 잦은 협진 문의사항이다. 흔한 원인은 (1) Drug-induced liver injury, (2) 수술 후 1주일 내 잠시 발생하는 benign postoperative cholestasis, (3) Sepsis나 shock에 따른 ischemic hepatitis이다. 변수가 다양하고 여러 원인이 중첩될 수 있겠다. 협의진료도 내과 전공의 수련 교과 과정의 필수 사항이다("타과 및 내과 내 협진 100건"). 고년차 전공의가 협진 답신을 담당 교수님과 함께 cosign 하여 낼 때 미리 검사 결과 확인 및 진찰해 보고 회진 시 교수님과 함께 협진 환자를 보며 배우시고 답신 내용을 정리하기 바란다.

Baveno VII

간경변증 진행에 따른 문맥압 항진증은 여러 간경변증 합병증과 직접적으로 연관된다. 유럽의 연구자들이 1986년부터 workshop을 열어 문맥압 항진증과 관련한 의견을 모으기 시작하였다고 한다. 1990년 이태리 Baveno에서 첫 consensus meeting을 열어 임상가에게 도움될 취합된 의견을 발간하였고 이후 5년을 주기로 갱신하였다. 이를 '바비노__'판이라 부른다. 2020년 3월에 예정되었던 7차 워크샵은 COVID-19 판데믹으로 무산되었다가 2021년 10월 온라인 미팅으로 개최되었고 그 결과물이 2021년 12월 정리되어 출판되었다(Reference #30). 대한간학회 간경변증 진료 가이드라인 정독 후 Baveno VII consensus report도 읽어보시기 바란다.

10 간세포암종 치료

간에 발생하는 여러 암종은 조직학적으로 다양하나 **간세포암종(hepatocellular carcinoma)**이 가장 흔하며 간세포암종을 줄여서 보통 **간암**이라 부른다(ICD code **C22.0**). 아래에서도 간세포암종에 대해 다루려고 한다. 두 번째로 흔한 간 악성 종양은 **담관세포암종(cholangiocarcinoma)**인데 종양내과나 소화기내과의 췌담도 파트에서 진료한다. **1장**에서 밝힌 바대로 간암 환자는 진단을 위해 조직검사나 baseline study를 받으려 입원하기도 하지만, 대다수는 치료를 위해 입원한다. 간암 환자의 80–90%는 간경변증을 동반하기에(나머지 10–20%는 만성 간질환의 뚜렷한 risk나 간경변증 없이 간암이 발생한다는 의미임) **8장**에서 언급한 각종 간경변증 합병증 관리를 위해 입원하기도 한다.

1. 간암의 진단

간암은 조직검사로도 진단할 수 있으나, 간암의 위험인자(B형간염, C형간염, 간경변증)를 가진 환자에서는 특징적인 영상학적 소견만으로 간암 임상진단이 가능하다. 간암의 영상학적 진단법은 아래에 발췌 인용한 **대한간암학회–국립암센터 간암 진료 가이드라인**을 참고하기 바란다(**Reference #1**). CT 진단법은 이미 학생 때부터 배웠을 것이고 MRI와 CEUS에서의 간암 진단 기준도 숙지한다면 금상첨화이겠다.

'중증등록' 및 **'산정특례'**에 대해서도 알아야 한다. 암을 포함한 중증질환자, 희귀질환자, 중증난치질환자, 중증치매자는 외래나 입원 진료를 받을 때 요양급여 비용의 5%만 환자가 부담하도록(일반 가입자는 외래는 50%, 입원 시 20%를 환자가 부담함) 경감해 주는데, 암 진단 시 OCS에 진단코드만 입력하는 게 아니라 건강보험공단에 제출하는 **산정특례 신청서**를 작성해야 한다. 간암의 경우 CT나 MRI 항목을 표시하여

2018 대한간암학회–국립암센터 간암 진료가이드라인
– 간암 영상학적 진단 기준

간세포암종 고위험군(만성 B형간염, 만성 C형간염, 간경변증)에서 감시검사 중 발견된 크기 1 cm 이상의 결절은

(1) 역동적 조영증강 CT, 또는 역동적 조영증강 MRI, 또는 간세포특이조영제 MRI에서 '전형적 영상소견'을 보이면, 간세포암종으로 진단할 수 있다. 일차 영상검사에서 정확한 진단을 할 수 없는 경우는 추가로 역동적 조영증강 CT, 역동적 조영 증강 MRI, 간세포특이조영제 MRI, 또는 혈관내조영제 조영증강 초음파를 시행하여 판단할 수 있다.

(2) '**전형적 영상소견**'이란 역동적 조영증강 CT, 역동적 조영증강 MRI, 또는 간세포특이조영제 MRI에서의 동맥기 조영증강과 문맥기, 지연기 혹은 간담도기의 조영제 씻김현상으로 정의한다. 단, MRI T2 강조영상에서 매우 밝은 신호강도를 보이지 않아야 하며, 확산강조영상이나 조영증강영상에서 과녁 모양을 보이지 않는 병변에 국한한다.

(3) 혈관내조영제 조영증강 초음파를 시행하였을 경우, 동맥기 조영증강 및 60초 이후 지연기 경등도 씻김현상을 '전형적 영상소견'으로 정의한다.

(4) 상술한 '전형적 영상소견'을 보이지 않는 결절은 '**보조적 영상소견**'을 사용하여 '간세포암종 의증'으로 진단할 수 있다. 단, MRI T2 강조영상에서 매우 밝은 신호강도를 보이지 않아야 하며, 확산강조영상이나 조영증강영상에서 과녁 모양을 보이지 않는 병변에 국한한다.

* **보조적 영상소견**

- 악성 종양의 가능성을 시사하는 소견: T2 강조영상의 중등도 신호강도, 확산강조영상에서의 고신호강도, 간담도기에서의 저신호강도, 추적검사에서 크기 증가
- 간세포암종을 시사하는 소견: 피막의 존재, 모자이크 모양, 결절 내 결절, 종괴내 지방이나 출혈

영상소견을 기재하고, 특수 생화학적 혹은 면역학적 검사 항목도 박스 체크하면 되는데, 시간 여유가 있을 때에는 기타 소견란에 "간암 발생 고위험군으로, 영상학적으로 대한간암학회에서 제시하는 간세포암종의 임상진단 기준에 부합한다"는 말을 타이핑하기도 한다. 환자가 개인적으로 가입한 사보험에 암 진단비 청구를 위해 진단서 작성을 요청할 때 영상학적 소견을 근거로 진단서를 발부할 수 있다.

보험사 직원 방문

가끔 보험사 직원이 외래나 병동으로 보험사 자체 양식의 서류를 들고 와서 작성을 요구하는 경우가 있는데, 이는 의사가 작성할 의무 사항도 아니며 거부해야 한다. 환자 동의를 받은 대리인 신청서를 확인한 후 병원 진단서 양식에 객관적인 내용을 기재해주어야 한다. 환자가 실비 청구를 위해 입원 치료 확인 내용만 요구하는 수준의 진단서는 부담없이 작성해주어도 된다. 진단서 관련해서 뭔가 모호하고 찝찝한 느낌이 들 때에는 책임의사께 문의할 필요도 있다.

---

2. 간암의 종양표지자(3장. 혈액검사 해석 참고)

간암은 종양의 크기가 커도 AFP가 상승하지 않는 경우가 전체 환자의 절반은 된다. AFP는 간암이 아닌 간염이 심하거나 임신 시에도 증가한다. 간암 고위험군이 아닌데 AFP가 상승한 환자에게도 CT를 확인하게 되는데, 아무 병변이 없는 경우도 있고, 드물게 stomach이나 colon에서 발생하여 간에 전이를 하기도 하는(간 전이는 없을 수도 있음) **hepatoid adenocarcinoma**가 추가 내시경 및 병리검사상 확인되기도 한다(내시경 소견은 위암이나 대장암에 부합하는데 면역조직염색상 AFP 양성이다). Germ cell tumor로 AFP가 상승하기도 하는데, 이럴 때에는 LDH, hCG를 함께 체크해야 한다. **Combined hepatocellular-**

cholangiocarcinoma에서는 AFP와 CA 19-9가 동시에 상승하는 경우도 있다.

> **커피와 간암**
> 대한간암학회 진료가이드라인을 살피다 보면, 만성 간질환 환자에서 커피 음용이 간암 발생을 낮출 수 있다는 이전 연구를 정리한 언급이 포함됨이 흥미롭다(evidence B1). 당연하지만 믹스커피가 아닌 원두커피이다. 참고로 비알코올 지방간 환자 중 믹스커피를 하루에 10잔 정도 마시는 경우가 적지 않아 병력 청취 시 콕 집어서 물어보면 좋겠다. 믹스커피 스틱 1개가 50 kcal여서 10잔이면 하루 500 kcal이고, 이는 비알코올 지방간질환 환자의 간내 지방량 감소를 위해 권유하는 에너지 섭취 감소 요구량이다. 참고로 흡연과 비만도 간암의 발생 위험을 높인다.

3. 간암 감시검진(Surveillance)

간암의 고위험군인 B형, C형, 간경변증 환자에서는 적어도 6개월 간격의 지속적인 간암 감시검진이 필요하다. 내과의사라면 간분과가 전공이 아니더라도 감시검진을 추천함이 옳다. 2018년부터 국가건강검진에 간암검진이 포함되어 40세 이상의 상기 3가지 중 적어도 한 가지 이상의 위험요소가 있다면 상반기와 하반기에 각각 1회씩 AFP와 liver USG를 시행해준다. B형간염(B18.1)이나 C형간염(B18.2), 간경변증(K74.X) 진단을 이전에 받은 기록이 공단에 미리 등록되어 있다면 대상이 되는데, 외래나 병동에서는 기등록자인지 확인이 제한되어 번거로워도 환자나 가족이 공단에 유선(**1577-1000**)상으로 검진 대상자 여부를 확인함이 제일 빠르고 정확하다고 알려주면 된다.

선별검사(screening) *vs.* 감시검진(surveillance)

선별검사는 어떤 질환(= 암) 조기 발견을 위해 일반인 대상으로 시행하는 검사이고, 감시검진은 질환의 발병 위험이 높은 대상을 반복적으로 추적하는 검사이다. 5대 국가 암검진 중 간암만 감시검진이고, 나머지 위암, 대장암, 유방암, 자궁경부암은 일정 나이가 되면 성별에 맞게 선별검사를 한다.

4. 간암 Staging

간암 환자의 병기 설정 방법은 굉장히 다양한데, 대표적 병기는 **BCLC**와 대한간암학회에서 사용하는 **modified UICC** stage이다. BCLC는 간암 연구를 활발히 하는 스페인 그룹에서 제창한 시스템으로 Barcelona Clinic Liver Cancer를 줄인 말이다. 간암의 양상, 간기능(Child–Pugh class), ECOG performance status를 종합하여 병기 설정 및 치료 방안을 제시해준다. 구글링하면 쉽게 확인 가능한데, 최근 아래에서 언급할 티쎈트릭–아바스틴의 도입으로 BCLC가 update되어 더 구체화되었다(**Reference #31**). 2022 update BCLC는 쉽게 구글링이 되고 아티클을 free로 다운받을 수 있으니 꼭 확인하시기 바란다. modified UICC는 (1) 가장 큰 간암의 크기(2 cm 이하 혹은 초과), (2) 개수(1개 혹은 2개 이상), (3) 혈관 침범 여부, (4) 간외전이 혹은 임파선 침범 여부로 결정하며, 간외전이나 임파선 침범이 있거나, (1)–(3)까지 항목 모두 해당하면 IV기, 간외전이, 임파선 침범이 없으면서 (1)–(3)까지 항목에 해당하지 않으면 I기, 1가지 부합하면 II기, 2가지 부합하면 III기이다.

5. 간암 치료

개괄적으로 보면, (1) 완치를 목적으로 한 치료 – surgical resection, LT, RFA, MWA, (2) 진행성 간암 보조 치료 – 면역 항암제(immune check-point inhibitor), 표적 치료제(multikinase inhibitor), (3) 위의 (1)과 (2) 사이의 어중간한 병기에서의 치료 – TACE 로 구분할 수 있다. ECOG 3–4 환자는 대개 암 치료없이 best supportive care에 집중한다.

절제술 및 간이식은 외과에서 시행하여 내과 입원 환자 중에는 접하기가 어려울 것이다. **고주파 열치료(radiofrequency ablation, RFA)** 는 3 cm 이하의 작은 간암 치료로 수술과 비등한 효과를 보인다. 다만 종양 위치에 따라 시술이 제한될 수 있다. 최근 시행하는 **초단파 열치료술(microwave ablation, MWA)** 은 조금 더 임상 데이터가 모아진 다음에 기회가 되면 소개하겠다. 진행성 간암 치료는 2008년 NEJM에 소개된 **sorafenib** 및 이후 **regorafenib, lenvatinib**이 소개되었고 이후 큰 변화가 없다가(물론 많은 신약의 clinical trials이 있었다!) 2020년 NEJM에 **atezolizumab**과 **bevacizumab**의 병용 효과가 기존의 sorafenib에 비해 대략 40% 이상의 효과를 보인 비약이 있었다. 2022년 5월 급여 기준이 고시되었다.

색전술은 doxorubicin을 tumor에 전달하는 oily한 Lipiodol을 이용하는 고식적인 방법(**conventional TACE** 혹은 **TACL**)과 항암 효과를 배가할 목적으로 개발된 **약물방출 미세구(drug–eluting bead)** 를 사용하는 **DEB–TACE**, 그리고 동위원소를 이용하는 **방사선 색전술(transarterial radioembolization, TARE)** 로 나눠진다. 특수 색전술로 분류되는 DEB–TACE나 TARE는 tumor size가 대략 5–6 cm 정도 내에서는 2–3회 세션의 반복적 DEB–TACE, 6–7 cm 이상의 간암은 폐단락이 심하지 않다면 TARE가 적합할 것으로 개인적으로 생각한다.

색전술 환자 manage 시 주의할 점

간암 환자에게 색전술 치료는 전국적으로 널리 시행되고 있다. 짐작하건대 간분과로 입원한 간암 환자가 가장 흔하게 받는 치료일 것이다. 보통, 책임 의사인 교수님들이 간암 치료 방법을 결정하시겠지만, 전공의들도 색전술 의 원리, 기대효과, 적응증 및 비적응증, 부작용 등에 대해 전반적으로 이해 하면 좋겠다. 임상적으로 중요한 부분을 짚어보면 다음과 같다.

(1) Contraindication: 상기한 바대로 일상생활 수행능력이 현저히 저하된 환자는 비적응증이다. 시술 후 간부전 발생 위험으로 Child–Pugh class C에서는 가급적 시행을 금한다. 간 주문맥 혈관침범도 색전술은 어렵다 (간의 anatomy 및 색전술 원리를 상기하자).

(2) 부작용: 가장 흔한 합병증인 '**색전후 증후군(post–embolization syndrome, PES)**'은 용어와 대표 증상(발열, 통증, 오심, 구토)을 알고 증상 적 치료에 신경쓰자. 병원별로 이미 색전술 약속 처방에 prn order까지 포함되어 있을 것이다. 색전후 증후군과 패혈증, 담낭염, 소화성 궤양 등 다른 발생 가능한 합병증과 임상적 구별이 중요하다. 색전술 후 단기간 의 간효소 상승은 매우 흔하다.

(3) **초선택(superselection)**: 용어를 알아두자. 간암의 feeding artery를 확인하여 microcatheter를 최대한 근접하여 색전물질을 주입하는 시술 방법을 superselection이라고 표현한다. 당연히 anti–tumoral effect 를 배가하고, 부작용을 줄일 수 있겠다. Nontargeting vessel로의 색전 물질이 의도하지 않게 주입된 경우 발생 가능한 합병증은 보드 시험 혹 은 분과전문의 시험에 출제할 수도 있겠다.

(4) 색전술 시행 시 예방적 항생제 투여는 효과에 대해 논쟁이 있다. 개인적 으로는 3–7일 정도 투여한다. 이전에 담도계 질환을 앓았거나 복부 수술 을 받은 경우에는 enteric gram negative 균주 관련 infection 발생 우 려가 더 높아 항생제를 꼭 투여해야 한다.

(5) 색전술 후 영상학적 평가 및 효과 판정: 병동 전공의 입장에서는 본인이 care한 색전술 환자가 퇴원하고 대략 한달 후 외래에서 영상학적 반응 평가를 받아서 효과를 확인할 기회가 제한되는 점이 아쉽다. 그러나 시

술 직후 angiography 영상을 보면 tumor stain이 되는 양상으로 효과를 예상할 수 있다. 간분과 텀에는 바쁜 병동 업무 중 시간을 내어 혈관 촬영실을 방문하여 인터벤션 교수님께 인사드리고 색전술 시술을 참관하길 권장한다. 의대생 영상의학과 임상실습 때와 느낌이 다를 것이다. 환자 퇴원 약 한달 후 CT를 찾아보면 좋겠다. 5-10분 정도면 충분히 리뷰가 가능하다.

사실, 암 치료는 환자 개인의 여러 특성을 두루 살펴야 하여 이 책에서 폭넓게 다루기가 제한된다. 간문맥 종양혈전(**portal vein tumor thrombus**, **PVTT**)이나 extrahepatic oligometastases, TACE refractory lesion이 있을 때에 방사선 치료를 의뢰한다. 이 외에도 정위적 방사선수술(**stereotactic radiosurgery**) 형태로 방사선 치료를 간암에서 접목할 부분이 크다고 생각한다.

고형장기에 발생하는 악성종양의 치료 반응 평가는 워낙 **RECIST** (response evaluation criteria in solid tumors)나 WHO criteria로 한다. RECIST에서는 **완전관해(complete response, CR)**의 정의가 'no measurable disease'이지만 색전술이나 고주파 열치료는 치료 방법의 특성으로 인해 치료 반응이 우수한 부분의 병변 부피가 금방 사라지지 않는다. 면역치료 후 반응도 마찬가지이다. 이런 이유로 간암 치료 반응 평가는 **modified RECIST (mRECIST)**나 **EASL(유럽간학회) criteria**를 이용한다. 이 기준에서 CR (complete response)은 'disappearance of intratumoral arterial enhancement in all (1) target tumors (mRECST system) 혹은 (2) arterial enhancing tumors (EASL criteria)'로 정의한다(**Reference #32**).

급여 vs. 비급여 vs. 100/100

급여, 비급여, 100/100 이런 말들을 자주 들어보긴 했을 것이나 대학병원이나 종합병원에 근무하면 원내 보험 관련 부서에서 확인, 변경해 주며 일부 항목은 처방 시 팝업창으로 급여 가능 여부를 재확인하기 때문에 전공의 시절 무관심하게 된다. 그러나 내과의사는 숙명적으로, 근무 환경과 무관하게 요양급여에 관련한 기본 상식을 갖추지 않으면 곤란할 일을 겪을 수 있다. 관련 사항으로 의사들에게 도움되는 글을 정리해주시는, 내과 개원의 김종률 선생님의 블로그 방문을 추천한다 (Reference #33). 개원가에서는 이미 유명한 분이다.

우선 **공단**과 **심평원**을 구별해보자. 국내 건강보험법 및 정책의 일환으로, 건강보험의 보험자 역할(가입자 및 피부양자의 자격 관리, 보험료와 그 밖의 징수금의 부과·징수보험급여 관리, 암검진 예방사업 등)을 하는 기관이 국민건강보험공단(줄여서 '**공단**'이라 부름)이고, 국민건강보험급여 비용의 지급요양급여비용을 심사하고 요양급여의 적정성을 평가하는 조직이 건강보험심사평가원(= **심평원**)이다. Evidence-based medicine이 아닌 심평원 심사 기준에 좌우되는 국내 의료 현실을 '**심평의학**'이란 말로 지적한다.

치료를 위해 필수적으로 판단되는 약은 '**급여**'로 인정된다. 비만이나 미용 등 건강 유지에 직접적인 영향이 없어 보험재정에서 지원이 되지 않는 약은 '**비급여**'가 된다. '**전액본인부담(100/100 본인부담)**' 약제는 치료에는 필요하나 고가라서 보험재정 여건상 약값의 지원이 어려운 약제라 보면 된다. 예를 들어, B형간염 관리를 위해 항바이러스제 투여가 의학적으로 필요하여 투여하면 급여가 된다. 항바이러스제 투여로 바이러스 억제는 잘 되나 여러 이유로 간효소가 다소 상승하여 간장제를 추가로 투여하고 싶으면 간장제를 100/100으로 처방한다(항바이러스제가 간장제보다 비싸서 항바이러스제를 급여로 한다). 약제 외에도 각종 검사도 급여 기준이 정해져 있다.

11 간질환과 연관된 다른 내과 질환

앞장에서 간질환이 다른 organ에 미치는 영향(예: 간신증후군)과 다른 내과 질환이 간에 영향을 미치는 경우(예: congestive hepatopathy)를 부분적으로 살펴보았다. 이번 장에서 더 자세히 살펴보자. 개괄적인 내용을 파악하고 있어야 협진 의뢰 및 적절한 환자 manage에 도움이 되겠다.

내과 내에서 분과 간에 협진을 내는 경우가 흔하다. **Interdepartmental** 혹은 **intradepartmental consult**라 부르기도 하는데, 내과에서 분과 사이 협진의 다수는 답신 내용을 예상하지만 종합병원이기에 구체적인 답변이 필요하거나 추후 외래 추적을 위해 의뢰하게 된다. 내과가 세분화되면서 다른 분과 질환은 소홀하게 되고 최신 지견을 따라가기 어렵게 되었다. 집담회도 분과 내에서만 진행하는 경우가 잦아진다. 가끔 staff lecture 등의 내과 통합 컨퍼런스가 있으나 참석을 못하기도 한다. 어설픈 지식으로 다른 분과 질환을 old-fashioned로 care함은 위험하기도 하다.

> **Latte is Horse(나때는 말이야)⋯**
> 이런 소제목을 붙이는 것 자체가 구태의연한 '꼰대' 행태일 것인데, 필자가 전공의를 시작할 때(PACS가 막 도입될 때)만 해도 협진을 직접 수기로 작성하고 각종 검사 결과지도 출력하여 형광펜으로 중요한 부분을 하이라이트한 후 의뢰드릴 파트 고년차 선배에게 공손히 전하며 구두로 환자를 설명해야 했다. 물론 이런 과정 중 환자를 더 잘 파악하는 계기가 되기도 하는데 시간 낭비이며 종이도 아깝고 가끔 협진 의뢰서가 스캔에서 빠질 우려도 있다. 협진 의뢰에서의 핵심은 의뢰할 내용을 간결하고 정확하게 전하되, 중요한 핵심 임상 정보를 함께 전달하는 것이다. 바쁜 시간에 협진을 의뢰한다고 해도, 최근 다른 과에 의뢰했던 텍스트를 그대로 복사하여 붙이는 불성의함은 피해야 한다. 협진 의뢰가 부정확하면 도움이 안 되는 내용으로 답신이 돌

아오기도 한다. 적절한 의학용어 사용은 말할 나위 없다. 최근 필자도 타과에 협진 의뢰를 작성하는 과정 중 'ptosis'를 잊고 'eyelid drop'이라 썼던 부끄러운 기억을 고백한다.

1. 다른 내과 질환의 Secondary hepatic involvements

비교적 흔한 경우를 살펴보겠다.

1) Hepatic congestion, congestive hepatopathy, cardiac cirrhosis, ischemic hepatitis

같은 범주에 포함되어 묶었다. 임상에서 흔하게 접하기에 상태에 대한 위와 같은 별칭도 붙여졌다. Left or right heart failure, myocardial infarction, constrictive pericarditis 등이 발생하면 간효소의 상승, 간 울혈에 따른 RUQ pain이 발생할 수 있다. 영상학적으로는 hepatomegaly나 hepatic vein dilatation이 보이고 심초음파에서는 IVC plethora가 확인된다. Shock에 따른 ischemic hepatitis (='shock liver') 시에는 간효소가 수천까지 오르기도 한다. 기저질환을 관리하는 것이 치료 방안이다.

2) Pulmonary problems

Chronic respiratory failure 및 hypoxia에 따라 간효소 이상이 나타나기도 한다. *Pneumococcus*, *Legionella*, *Mycoplasma*에 따른 pneumonia에서도 간효소 이상을 보이기도 한다.

3) Thyroid, adrenal diseases, DM

● 갑상선 기능 항진증에서는 간세포의 oxygen demand가 증가하나 실제 blood flow는 증가하지 않기 때문에 간기능 이상이 초래된다고 알려져 있다. 갑상선 기능 항진증에 투여하는 약제도 간독성 발생 가능성이 있어 LFT를 함께 추적한다. 갑상선 기능 저하증도 간효소 이상을 동반하는 경우도 있으나 흔하지 않다. 심한 갑상선 기능 저하증 환자는 abdominal distension (ascites)을 주증상으로 소화기내과 외래를 방문하기도 한다.

● Cushing syndrome은 fatty liver를 종종 동반한다. Adrenal insufficiency에서도 간효소의 경미한 상승이 동반되기도 한다.

● DM 혹은 impaired glucose tolerance, increased fasting glucose 모두 nonalcoholic fatty liver disease와 pathophysiology를 공유하여 지방간 동반 및 간효소 상승을 보이는 경우가 잦다.

MAFLD [metabolic (dysfunction) associated fatty liver disease]

대사성 지방간(MAFLD)은 비알코올 지방간질환(nonalcoholic fatty liver disease, NAFLD) 대신 최근에 도입된 질환 범주이다. 알코올 문제가 아님으로만 지방간질환의 발생을 설명하기 어렵고 대사 문제가 겹친 질병 경과에 대한 이해의 폭을 넓힌 용어라고 볼 수 있다. 지방간에 추가적으로 (1) 과체중/비만 (2) 당뇨병 (3) 대사장애, 세 가지 중 1가지 이상 동반하는 경우 진단 가능하다. 향후 후속 연구가 지속될 것이며, 앞으로 전공의 여러분들이 꼭 숙지해야 할 개념이 되었다.

4) Rheumatoid arthritis, SLE, antiphospholipid syndrome, *etc*.

많은 connective tissue disease에서 간기능 이상을 보이기도 한다. 특히, autoimmune hepatitis는 류마티스 질환을 동반하기도 하여 관련 증상과 진단 기준 확인, 추가 검사 시행이 필요하다. Sjögren's syndrome은 PBC와 병발할 수 있다.

5) Non–Hodgkin's lymphoma, multiple myeloma, CML, myelofibrosis, *etc*.

여러 혈액 질환도 lymphoma cell 혹은 leukemia cell이 hepatic infiltration하기도 하며, 간기능 이상, hepatomegaly 소견을 보이기도 한다.

6) Stauffer's syndrome

간전이나 골전이가 '없는' renal cell carcinoma 환자에서 ALP 상승으로 나타나는 paraneoplastic syndrome이다. 진단명 정도는 알고 있기를 바라는 마음에 추가한다.

7) Systemic infection, sepsis and specific pathogen infection

● Septic condition에서는 간효소 상승뿐만 아니라 cholestasis를 동반하는 경우가 잦다. 중환자실 입실 환자 중 간기능 이상을 초래하는 상당수를 차지한다.

● 일부 감염은 liver damage를 야기하기도 한다. *Salmonella typhi infection*에 의한 간염은 salmonella hepatitis라는 별칭이 있다. *Clostridium perfringens* infection은 abscess나 gas gangrene을 일으킨다고 알려져 있다(참고로 공기 음영을 보이는 infection이나 inflammation은 모두 심각하다 – emphysematous cholecystitis, emphysematous pyelonephritis, gas–forming liver abscess, pneumatosis intestinalis 등). Q fever도 50%는 간기능 이상을 보이고 국내에서도 드물지 않게 보고된다. 개인적으로는 한 번도 경험하지 못한 Lyme disease도 hepatic involvement가 알려져 있다. 비교적 흔한 빈도로 보이는 sexually transmitted disease인 *Neisseria*나 *Chlamydia* infection에 따른 **perihepatitis (Fitz–Hugh–Curtis syndrome)**를 알아야 한다. 우상복부 통증으로 나타나며 CT상 liver capsule의 enhancement로 비교적 쉽게 진단된다. 결핵균이나 deep fungal infection도 간 침범을 보이기도 한다.

8) TPN-induced cholestasis

TPN을 장기적으로 투여하는 환자(성인보다는 소아가 흔하다)에게 cholestasis가 나타날 수 있다. 장기적인 TPN이 필요한 환자는 대개 거동도 불편할 거라 acalculous/calculous cholecystitis와 TPN–induced cholelithiasis 위험성도 높아진다. 참고로, TPN 제제는 가능하면 처방한 수액 한 봉지를 하루에 다 맞으면 좋다. 최소 500 mL 용량도 있으니 환자 I/O와 필요한 칼로리에 맞게 처방하자.

2. 간질환의 Systemic manifestations

8장 간경변증 합병증에서 상당 부분 설명한 내용이다. 중복되지 않을 내용을 살펴보겠다.

1) 위장관–portal hypertensive gastropathy, (entero) colonopathy

문맥압항진 위병증과 **GAVE (gastric antral vascular ectasia)**는 간학회 **간경변증 진료 가이드라인(Reference #1)**에 설명이 되어 있다. 위 점막의 울혈성 변화를 보이며, 흔한 염증성 위염과는 차이가 있다(조직검사를 시행하면 염증세포 침윤이 현저하지 않다). 이전에는 congestive gastropathy라고 부르기도 했다. Small bowel이나 large bowel에도 점막 변화(부종, 발적, 점막 취약성 및 출혈 경향 등)를 보이는 경우가 있어 **portal hypertensive enterocolonopathy**라 부른다. 만성적인 위장관 출혈의 원인이 되기도 한다.

2) 순환기 - circulatory dysfunction

(복수천자 후 발생할 수 있는 paracentesis–induced circulatory dysfunction과 별도로) 문맥압 항진으로 인해 splanchnic arterial vasodilation이 야기되고 이어서 effective arterial blood volume이 감소하면서 hyperdynamic circulation과 hypotension이 나타날 수 있다. 복수나 간신증후군 발생 기전과도 중복되는 바가 있다.

3) 호흡기 - hepatopulmonary syndrome, portopulmonary hypertension

● **간폐증후군**은 간단히 설명하자면, 폐의 microvascular vasodilation으로 인해 혈관 중심의 RBCs가 산소 분자 결합을 충분히 하지 못히여 저산소증을 유발하는 상태이다. 산소 공급과 여러 약제 투여가 시도되나, 가장 효과적인 치료는 간이식이다.

● **문맥폐고혈압**은 pulmonary arterial constriction과 remodeling으로 인해 폐동맥압이 증가되는 질환이다. 우심도자술과 심초음파를 근간으로 진단하며, 치료법은 제한된다(폐동맥압이 높으면 간이식의 금기가 되기도 한다).

4) 내분비/대사 - hepatogenous diabetes, adrenal insufficiency, autoimmune thyroiditis

● 체내 당대사 과정에서 간이 차지하는 비중이 상당하다. 진행성 간질환(간경변증 외에 급성 간부전 포함)에서는 고혈당과 저혈당 모두 문제가 된다. 급성 간부전을 먼저 언급하면, 저혈당 유발이 흔하다. Type 2 DM과 별개로 간질환 환자에서 발생하는 당뇨병을 **hepatogenous diabetes(간성 당뇨병)**라 부른다. DM 자체는 간경변증 환자의 합병증과 사망률을 증가시키고, 간암 환자에서는 위중도와 사망률을 증가시킨다고 알려졌다. 간경변증 환자의 당뇨병 조절은 (1) 동반한 영양실조 (2) 경구 혈당강하제 대부분이 간에서 대사됨 (3) 환자들이 종종 겪는 저혈당 등이 난제로 작용한다. 치료 약제로 가장 무난한 건 metformin이나 드물지만 lactic acidosis 위험을 고려해야 한다. Sulfonylurea 계통은 간경변증 환자에서는 투여를 피해야 한다. 요즘 각광받는 GLP-1 analogue나 DPP-4 inhibitor는 아직 충분히 검증되지 않았지만 유의

한 부작용 없이 투여 가능하다. 간성뇌증 동반한 환자에서 alpha-glu-cosidase inhibitor가 도움이 될 수 있겠다. Thiazolinedione은 비알코올 지방간염에서는 지방간에 도움이 되나 활동성 간질환이나 ALT가 100 정도 이상으로 상승한 경우에는 치료 개시 약제로는 사용하지 않기도 한다. 합병증으로 입원한 간경변증 환자에서는 적절한 혈당 조절이 감염 관리에도 기본이고 신기능 이상을 동반하는 경우도 있어 인슐린 투여가 우선적으로 필요한 경우가 잦다. 환자마다 개별화할 사유로 간경변증 환자에서의 당뇨병 적절 관리를 위해 내분비대사분과 협진을 권유한다.

● Severe sepsis나 septic shock을 동반한 진행성 간경변증 환자에서 adrenal insufficiency가 동반될 수 있다는 중요 선행 연구가 있다 (**Reference #34**). 이런 경우 혈역학적으로 불안정하고 신기능 저하도 동반되어 사망률이 더 높다고 알려져 있다.

● PBC 환자는 autoimmunity를 동반하기에 다른 autoimmune endocrine disease를 동반하는지 점검이 필요하다. 반대로 autoimmune thyroiditis가 먼저 진단된 환자에서도 자가면역 간질환을 동반했는지 추가 평가가 필요하다.

5) 신장 - glomerulonephritis (GN)

8장에서 언급한 급성 신손상과 간신증후군이 가장 중요하다. 이외에 immune complex가 매개하는 hepatitis B 및 hepatitis C-associated GN도 알려져 있다. Hepatitis B 같은 경우는 membranous nephropathy (MGN)가 흔하고, hepatitis C는 MPGN이 가장 흔하다. 각 질환에 맞게 전자는 항바이러스제 투여를 지속하거나 후자는 일정 기간 DAA를 투여한다.

6) 그 외 내과 분과

류마티스 질환 중에는 자가면역 간질환이 연관되기도 한다. 간질환 환자가 감염에 취약함은 **8장**에서 서술했다. 혈액학적으로는 cytopenia와 coagulopathy에 따른 문제를 수반한다. 이전에 진단받은 적 없는 무증상의 대상성 간경변증 환자가 cytopenia로 혈액내과를 먼저 방문하는 경우도 흔하다.

다학제 진료(multidisciplinary approach)

간세포암종 환자 대부분은 소화기내과 간분과에서 주로 진료한다. 기저 간염이나 간경변증을 동반하여 이에 대한 동반 관리도 필요하기 때문이다. 외과, 종양내과, 영상의학과, 인터벤션의학과, 방사선종양학과, 병리과 전문의들과의 **다학제 회의** 및 **통합진료**가 가장 활발하게 진행되는 암이 아마도 간암일 것이다. 병원에서 정기적으로 열리는 간암 다학제 회의에 참석하면 많은 지식을 쌓을 수 있을 것이다. 기회가 된다면 대한간학회나 대한간암학회에서 주최하는 컨퍼런스에 참석하면 학술적인 관심이 배가될 것이다. 다만 전공의 학술대회 참석은 전공의가 원한다고 되는 것이 아니라서 각 병원 교수님들의 관심과 후원이 필요하다.

간분과 응급상황

응급조치를 요하는 상황은 응급실로 내원한 환자뿐만 아니라 일반 병동에서 케어 중인 환자에도 발생한다. 간분과에서의 대표적 응급상황을 살펴보자.

1. 불안정한 생체징후

● 관련 질환: GI bleeding(**8장** 참고), sepsis 등

● 설명 및 대처: 의료에서 가장 기본이면서도 중요한 체크 사항이 생체징후임은 강조함에 끝이 없다("Vital sign is vital!"). 중요함에도 불구하고 종종 간과됨이 문제다. 생체징후 기록지를 잘 안 보는 경우가 있는데, 요즘엔 OCS에서 그래프로 추이를 살필 수 있으니 늘 확인하는 습관을 갖자. 위장관 출혈이 소량씩 발생할 때 맥박수가 증가하고 있었음을 환자 상태를 추후 리뷰하면서 깨닫기도 한다.

복기의 중요성

복기란 바둑 용어로 바둑을 두고 판국을 다시 처음부터 놓아보는 복습 과정을 의미한다. 환자 진료 과정 중에도 임상 경과가 불량한 환자를 대상으로 진료 과정을 복기해보면 어느 시점에서 어떤 조처가 미흡했거나 다른 치료가 더 적절했을 것으로 생각되기도 한다(물론 다른 대응법으로 환자 상태가 오히려 악화될 가능성도 있겠다). 원내 컨퍼런스 중 준비가 어렵기로는 **mortality conference**를 꼽을 수 있는데 과거부터 mortality conference를 열었던 이유는 진료 과정을 peer review해보면서 다음의 유사 환자 진료 시 시행착오를 줄일 수 있기 때문이다. 원내 컨퍼런스가 없어도 전공의 스스로 복기하는 습관을 갖기 바란다. 반성이 없다면 발전도 없다.

영양실조 및 sarcopenia 동반한 환자에게 혈압 측정이 부정확하거나 기저 수축기 혈압이 90 mmHg대가 나오기도 하나 이런 경우는 논외로 하자. BP down을 shock라 부르고 shock의 분류도 여러 가지가 있음을 다들 잘 안다. 저혈량성 혹은 패혈성 쇼크가 유발될 위험성이 높은 간경변증 환자의 생체 징후 변화 상태를 노티받으면 당연히 일련의 조치에 들어간다. 간질환 환자에서 위장관 출혈 증상이나 징후가 관찰될 때 CBC를 기본으로 추적하나 실혈량을 정확히 반영하지 않음을 의대생 때부터 배웠다. 3 position BP를 측정하여 혈압 하강이나 맥박 증가 등의 변화를 살피면 좋겠으나 무리하게 standing position BP를 측정하려다가 orthostatic hypotension으로 환자가 넘어질 수도 있음을 조심하자.

출혈에 따른 저혈량성 쇼크라면 수혈 처방이 우선 필요하다. Central line이 있다면 좋으나 peripheral line도 function이 좋다면 무리한 중심정맥관 삽입 시도로 다른 조치가 늦어지는 걸 조심해야 한다. 수혈 제제로는 packed RBC가 우선이며 응고 장애나 혈소판 감소증이 동반되었다면 FFP나 PC도 처방한다(참고로 혈소판 수혈 급여 기준은 5만 이하이다). 수혈을 준비하며 normal saline을 loading하나 과한 saline loading은 오히려 출혈을 조장한다. 수혈 시 hemoglobin target은 최근 여러 가이드라인에서 7–9 g/dL임을 상기하자. Vasoactive drug인 terlipressin 2A loading 후 이후 4시간마다 투여한다(cf. 간신증후군에서는 6시간마다 투여). 소화성 궤양 출혈이 배제되지 않았거나 우려된다면 PPI 2V loading 후 high dose continuous infusion도 필요하겠다. 선행연구가 있는지 모르겠으며 절대적이진 않지만, 간질환 과거력이 없거나 모호한데 토혈이나 흑색변으로 응급실을 방문한 환자에게 CT나 초음파를 시행하지 않았다면 가장 빨리 확인 가능한 CBC상 혈소판수치를 확인이 도움이 된다. 10–15만 이하의 혈소판 감소증이 있다면 간경변증 및 정맥류출혈 가능성이 있고 혈소판 수치가 정상이라면 소화성 궤양 출혈 가능성이 높다고 생각된다. Mallory Weiss syndrome은 반복적 혹은 심한 구토 후 토혈이 발생하였는지 문진 확인이 진단에 도움이 된다.

2. 의식 상태 변화

● 관련 질환: 간성뇌증, delirium, 급성 간부전(7장 참고), delayed intracranial hemorrhage, alcohol withdrawal symptom (impending DT), biliary sepsis 등

● 설명 및 대처: 간경변증 합병증 중 간성뇌증이 altered mentality 의 가장 흔한 경우이다. 고령 환자나 기저 질환이 동반된 경우 섬망도 흔하다. 간성뇌증이 의심되는 간경변증 환자에서는 유발 원인 확인이 가장 우선이다(8장 참고). Deep grade의 encephalopathy라면 lactulose enema가 필요하다. 입원 후 의미있는 head trauma가 없어도 spontaneous 혹은 입원 전 외상에 이은 delayed hemorrhage가 관찰되는 경우가 있고 드물기는 하나 뇌경색도 병발할 수 있어 신경학적 평가로 localization 여부를 확인하고 brain imaging study로 객관적인 배제가 필요하다. 간성뇌증이 갑자기 발현하기도 하지만 보통은 조금씩 수면양상 변화가 나타나기 때문에 평소 밤낮이 바뀌는 간경변증 환자는 간성뇌증 여부를 의심해야 한다. 회진 중 입원 후 5일 동안 대변을 못 봤다는 간경변증 환자나 가족의 말을 들으면 가슴이 철렁할 것이다(I/O sheet를 잘 봐야 하는 이유이다).

B형간염 항바이러스제의 도입과 C형간염 DAA 도입으로 인해 만성 바이러스 간염에 따른 만성 간질환 비중은 조금씩 줄고 있다. 문제적 음주에 따른 알코올 간질환은 상대적으로 더 느는 느낌인데, 알코올 금단

증상에 대해서 신경과나 정신건강의학과 전공이 아니더라도 내과의사도 개념을 알고 발생이 우려되는 경우 미리 대처해야겠다. Benzodiazephine 등의 약제 적절 용량 투여로 threshold를 높여 금단 증상 발생을 줄이거나 약하게 지나가게 도울 수 있다. 알코올 금단 증상에 따른 낙상 등의 환자 안전사고가 발생하면 미리 대처하지 않은 의료진에게 책임이 전가되기도 한다.

내과 전공의가 소화기내과에 입원한 간 질환과 담도 질환 환자를 함께 담당할 수 있는데, biliary sepsis 환자 중 **Reynolds' pentad** (Raynaud's phenomenon과 구별바람) 일환으로 altered mentality를 보이는 경우도 드물게 보인다. Liver abscess 환자는 유난히 입원 초기 고열인 경우가 잦고 특히 경피적 배액관을 시술받은 후 고열을 보이며 seizure까지 발생하는 경우도 있다. Meningitis나 encephalitis로도 mental change가 발생하는 경우도 있음을 고려하자. Septic cerebral emboli 환자들도 드물지만 관찰된다.

3. 호흡곤란, 과호흡

● 관련 질환: 폐부종, 간성 흉수(**8장** 참고), 간폐증후군, 문맥폐고혈압 (**11장** 참고), 대사성 산증, 간신증후군(**8장** 참고)

● 설명 및 대처: 우선 용어정리를 하자. **빈호흡(tachypnea)**은 분당 호흡수의 비정상적 증가(분당 20회 이상)를 의미하며, **과호흡(hyperventilation)**은 정상보다 깊고 빠르게 호흡함을 의미한다. 정확한 V/S check를 위해서는 적어도 30초 이상 환자의 호흡수를 측정함이 원칙인데, 일반병동에서 이렇게 호흡수를 측정하는 경우는 드문 듯하다. V/S 기록지를 보면 열없는 안정적인 성인 환자에서 호흡수가 20으로 올

라간 경우가 흔한데 3초에 1번 숨쉬기 쉽지 않다. 정상 호흡수 범위는 분당 12-16회이다.

I/O control이 부적절하거나 기저 질환 악화로 폐부종 및 호흡곤란이 발생할 수 있겠다. 복수에 따른 복부팽만이 매우 심할 때에도 호흡곤란을 호소하기도 한다(호흡곤란은 치료직 복수천자의 적응증 중 하나이다). 호흡음 청진 및 흉부 X선 촬영은 기본이다. 간성 흉수도 흔하다. 개인적으로, total lung collapse 될 정도가 아니라면 한밤중에 thoracentesis를 시행하지 말고 daytime에 elective procedure를 권장한다. 간폐증후군이나 문맥폐고혈압은 증상이 매우 심할 수 있으나 빈도가 흔하지는 않다. ABGA, BNP 측정을 기본으로 하여 심초음파와 필요시 우심도자술까지 연결되어야 할 것이며 책임의사와 상의가 필요하다.

대사성 산증에 대한 respiratory compensation의 징후인 **Kussmaul breathing**을 보이면 내과 어느 분과에 근무하던 간에 주의깊게 유발 원인을 파악하고 그에 맞는 대처가 필요하다. 대사성 산증과 동반이 잦은 신부전 발생 시 응급 신대체요법이 필요한지 확인해야 한다.

저산소증이 동반될 정도의 호흡곤란은 당연히 적절량의 oxygen supply가 기본이며, 필요시 기관삽관과 기계호흡까지 진행되어야 하는 기본원칙을 잊지 말자.

4. 복통

● 관련 질환: HCC rupture (**8장** 참고), strangulation, peritonitis

● 설명 및 대처: 응급상황으로 시술이나 수술로 연결되어야 하는 대표적 간분과 관련 질환은 간암 파열과 hernia에 겹친 strangulation이다. 둘 다 이학적 검사만으로는 진단이 모자라서, 복부 CT 촬영이 필요하다. 간암 파열은 복수 천자 시 bloody ascites확인으로도 추가 정보를 얻는다. Emergency embolization이나 수술이 필요하다. Strangulated hernia는 CT 확인 후 외과 응급 협진 의뢰가 필요하다(초음파로도 감돈을 알 수 있으나 수술을 전제로 할 때 CT는 꼭 필요할 것이다). **8장**에서 언급한 복막염도 복통을 유발할 수 있겠다. 복수에 따른 복부 팽만감 혹은 복부 불편감과 복통은 구분해야한다. 복막염이 의심되는 경우 복수 천자 검사 확인 후 빠른 경험적 항생제를 투여하자.

내과의 two AMIs

AMI라는 약어만 봐도 무겁게 느껴진다. Acute myocardial infarct의 위중도와 응급도에 못지 않은 소화기내과 혹은 외과 질환을 강조하려 한다. 내과 전공의 때 꼭 경험할 위중한 질환이다. SMA thrombosis 등에 따른 **acute mesenteric infarct**은 심근경색보다 심각한 문제를 초래하는 경우가 많다. 갑작스럽고 심한 복통을 포함한 임상 증상이 bizarre하게 변하기도 한다. 치료로 광범위 장절제가 필요하기도 하고 수술이 성공했다고 하더라도 sepsis 및 사망에 이르기도 한다. 복통 환자의 복부 CT 확인 시 mesenteric arteries에 thrombosis 유무를 확인하는 습관이 필요하다. 전형적인 thrombosis가 관찰되지 않아도 mesenteric circulation 장애가 있기도 하다.

참고로, 내과학회에서 권장하는 1~2년차 수련과정 중 ICU 근무 시 소화기내과 중증 질환은 (1) 스트레스성 궤양, (2) 급성 장간막 허혈 (AMI), (3) 중증 급성 췌장염, (4) 혈역학적 불안정을 동반하는 위장관 출혈, (5) 간부전이다.

5. 토혈, 혈변, 흑색변

● 관련 질환: 위장관 출혈

● 설명 및 대처: 소화기내과의 전통적 중요 질환이며 전공의와 의대생의 만년 족보이다. 다른 매뉴얼이나 8, 14장과 겹칠 부분이라 내용을 줄이겠으나 가끔 epistaxis 나 gingival bleeding, hemoptysis 가 hematemesis로 오인되는 경우도 고려하자. 정맥류 출혈 등이 과할 때 aspiration을 유의하고 위장관 출혈이 선행한 후 간성뇌증이 뒤따르는 경우도 잊지 말자. 토혈이나 혈변에 비해 흑색변은 생체징후가 안정적인 경우가 많으나 간과할 증상은 아니다. 철분제 복용 등으로 대변색 변화를 보인 건 아닌지 복용 약제 리뷰를 짧게라도 하자. 정맥류는 식도, 위뿐만 아니라 십이지장을 포함한 소장과 직장에도 발생 및 출혈할 수 있다.

6. 소변량 감소

● 관련 질환: 급성 신손상, 간신증후군

● 설명 및 대처: **8, 13장**을 참고하자. 만성 간질환 환자에서 신기능의 중요성은 MELD score에 serum creatinine이 포함됨으로도 짐작할 수 있다. 간신증후군 배제진단 위해서는 알부민 1 g/kg로 volume expansion이 필요한데(체중 60 kg 시 20% 알부민 100 cc 3병), 간신증후군이 임상적으로 의심됨을 의무기록에 남기고 진단명(K76.7) 입력 후 terlipressin과 병용하여 알부민 보충을 시작함은 적절한 선택이다.

7. 혈액검사 이상 - Cytopenia, Coagulopathy, Electrolyte Imbalance 등

환자는 관련된 유의한 증상이나 징후가 없으나 루틴 혈액검사에서 이상을 보이는 경우가 있다. 전해질 포함한 혈액검사의 여러 이상에 대한 평가 및 대처법은 내과 전공의를 시작한 1년차 전공의에게는 vital sign만큼 기본적이고 필수적임을 잊지 말자. 나트륨, 포타슘, 칼슘 이상이 응급상황과 관련되는 경우가 많음을 복습하자. 각 hyper-, hypo- state에 따른 대처법은 이 책에서는 언급을 않겠다. 간기능 평가는 **3장**을 참고하자. 간혹 상기 설명한 위장관 출혈의 증상이 없는데, 원인 불명으로 혈색소가 감소하는 간경변증 환자가 관찰된다. 이런 환자는 intravascular hemolysis 배제 및 근육, 특히 등, 둔부, 허벅지 근육의 혈종이 없는지 확인이 필요하다. 이학적 검사에서는 관찰이 어렵고 psoas muscle에 hematoma formation이 되어 있는 경우도 있다(CT에서 확인된다). Muscular bleeding은 GI tract bleeding보다 출혈 범위도 넓고 인터벤션 효과도 제한되는 경우가 잦다. 수술도 어려워서 수혈과

compression 외에 대안이 없는 critical한 사례도 보인다.

8. 그 외 - 임신 관련, 이식 환자, 외상 환자 등

임신 관련 간질환 중 응급 상황이 종종 있으나 보통 신부인과에서 진료하며 간분과에서는 협진을 한다. **Acute fatty liver of pregnancy, HELLP syndrome** 등은 응급 delivery나 c-sec으로 해결되며 급성 간부전까지 도달한다고 해도 예후가 양호한 편이다. 간이식 환자에서 여러 감염, 거부반응, graft failure 등이 응급 상황인데, 내과 전공의 혼자서 해결하지 않도록 원내 진료시스템이 갖춰졌을 것이다. 외상에 따른 간 손상도 응급 시술이나 수술이 필요할 수 있는 질환에 속한다. 대개 외상외과나 외과에서 진료를 담당한다.

13 간분과 다빈도 처방 약제

모든 약제는 적응증에 맞게 적절 용량을 적절 용법에 따라 처방해야 한다. 의사가 indication에 맞지 않는 부적절한 약을 부적절한 용량으로 처방하면서 "이 약을 투여하고 있다"는 자기 만족에 그치면 안 된다는 뜻이다. 투여 후 효과 판정과 부작용 발생 여부 확인도 중요하다. 간분과에서 자주 처방하는 약들을 정리해보겠다.

1. 간장제(Hepatotonics, Liver pills)

● 간분과에서 가장 많이 처방하는 약제이다. 간장제라고 하면 환자들이 치료제로 오인할 우려가 높은데, 간기능 개선에 '도움이 될 수 있는' 약제라 부름이 정확하겠다. 건강보조식품이나 OTC drug 중에도 간장제를 표방하는 품목들이 매우 많은데, 이런 약들의 효과는 모르겠으나 개인적으로 권하지 않으며 다른 간분과 전문의들도 아마도 권하시지 않을 것이다. 처방전이 필요한 전문의약품만 살펴보자면 경구 및 주사제가 있다. 경구 간장제는 크게 세 가지 종류로 나뉘며 (1) BDD (biphenyl dimethyl dicarcoxylate), (2) silymarin, (3) UDCA이다.

● **BDD**: *Pennel*® (BDD, garlic oil)과 *Godex*® (adenine, BDD, carnitine, cyanocobalamin, antitoxic liver extract, pyridoxine, riboflavin complex)가 속한다. 보통 1–2C bid나 tid 처방한다. Nausea를 부작용으로 호소하는 경우가 종종 있으나 환자 불편감이 심하지 않으면 처방을 지속하는데 복용 중 대개 호전된다.

● **Silymarin**: Milk thistle(밀크씨슬) 추출물인 silymarin으로는 *Legalon*®이 있다. 70 mg 제형은 1C tid, 140 mg 제형은 1C bid 처방한다.

- **UDCA (ursodeoxycholic acid)**: *Ursa*®는 워낙 담즙산 분비 촉진제(cholelitholitics)라 봐야 하나 간세포 보호 효과도 있다고 한다. 담즙분비 부전으로 오는 간질환, 담도 질환, 만성 간질환의 간기능 개선, 소장절제 후유증 및 염증성 소장 질환의 소화불량 등 넓은 적응증이 있다. 차두리와 윤종신이 선전하는 UDCA 25 mg이 포함된 약은 일반의약품이라 의사 처방과 무관하다. UDCA 용량은 적응증에 따라 구분해야 하는데, 100 mg tid는 간장제 목적, 200 mg tid는 담석증, 300 mg tid는 PBC에서 투여한다. 참고로, PBC의 1st drug of choice는 UDCA 13–15 mg/kg/day라 체중 60 kg 환자에서 300 mg tid 투여가 적절하다.

- 주사제로는 flavine adenine dinucleotide가 성분인 *Adelavin injection*®을 만성 간질환에서의 간기능 개선, vitamin B12 결핍에 의한 질환에 대한 보조 요법으로 1일 1–2 mL (1–2 A)를 1–2회 분할하여 SC, IM 혹은 IV한다. *Hepa–Merz 'injection'*® 2–4 A/day도 투여하는데, 이는 아래 LOLA에서 설명하겠다.

- 간장제 투여 시 **표1**의 기본 급여 적용 원칙을 알고 있어야 한다. 급, 만성 간염은 간장제 2종 급여 투여가 가능하다는 의미이다.

13 간분과 다빈도 처방 약제

(표1) 간장용제 일반원칙(2022-207호)

1. 허가사항 범위 내에서 투여 시 요양급여를 인정함.

2. 허가사항 중 간질환에 투여하는 경우에는 아래와 같은 기준으로 투여시 요양급여를 인정하며, 동 인정기준 이외에는 약값 전액을 환자가 부담토록 함.

- 아 래 -

가. 대상환자

(1) 투여개시 AST (Aspartate Transaminase) 또는 ALT (Alanine Transaminase) 수치가 60 U/L이상인 경우 또는 AST 또는 ALT 수치가 40-60 U/L인 경우는 3개월 이상 40 U/L 이상으로 지속되는 경우

(2) 투여 중 AST 또는 ALT 수치가 40 U/L 미만이라 할지라도 환자의 상태나 투여소견에 따라 지속투여 인정

※ 간암, 간경변 환자가 간염을 동반한 경우에도 동일한 기준 적용

나. 투여방법

(1) 이담제를 포함하여 경구제 2종 이내 인정

(2) "국민건강보험 요양급여의 기준에 관한 규칙 요양급여의 적용기준 및 방법 제3호 나목. 주사"의 조건에 적합한 경우에 한하여 비경구제 1종과 경구제 1종 인정

3. 항바이러스제(Lamivudine, Clevudine, Telbivudine, Entecavir, Adefovir, Tenofovir disoproxil, Tenofovir alafenamide, Besifovir, Sofosbuvir, Ledipasvir + Sofosbuvir, Elbasvir + Grazoprevir, Glecaprevir + Pibrentasvir 경구제, 인터페론제제, 페그인터페론제제)와 병용투여 시 1종은 약값 전액을 환자가 부담토록 함.

2. HBV antiviral agents

● 이 부분은 대한간학회 **만성 B형간염 가이드라인(Reference #1)**을 참고하시기 바란다. 간학회 여러 선생님들의 장기적인 노력에 힘입어 급여 기준이 의학적 투여 기준에 거의 부합한다.

● 국내에서 권장하는 약제로는 **entecavir** (*Baraclude®*), **tenofovir disoproxil fumarate** (**TDF**, *Viread®*), **tenofovir alafenimide fumarate** (**TAF**, *Vemlidy®*), **besifovir** (*Besivo®*)이다. 각 약제의 부작용과 renal dose modification을 가이드라인에서 찾아보시기 바란다.

● HBV DNA 정량 검사는 가장 민감한 방법인 realtime PCR method를 사용하는데 1 IU/mL가 대략 5 copies/mL이다. 2010년대에 가이드라인 및 급여기준이 copies/mL에서 IU/mL로 변경되었다. 각 병원의 검사 결과는 IU 및 copies가 함께 보이므로 구별하여 확인하자.

● 내과 전공의로서 더 주의할 부분은 항암치료나 면역조절제를 투여할 때의 HBV reactivation에 대비한 **선제치료(preemptive therapy)**이다. 이 부분은 특히 종양내과와 혈액내과, 류마티스내과에서 중요하다. 임상적으로 중요한 만큼 보드 시험에 출제하기도 좋다. HBV 면역 비활동기 혹은 **잠재감염(occult infection)**인 경우에도 재활성화가 가능하므로 항암치료 및 면역조절제 투여 전 HBV DNA 외에 HBcAb IgG도 검사를 해야 한다. 항암치료 regimen에 따라 항바이러스제 선제치료의 급여 기준도 다르니 **표2, 3**을 참고하시기 바란다.

13 간문과 담낭도 질병 약제

(표2) 항암요법/면역억제요법을 받고 있는 B형 간염 환자의 간염 재활성화 예방 요법 요양급여 인정기준

B형간염 예방요법으로서 아래와 같은 기준으로 투여 시 요양급여를 인정함

(1) HBsAg 양성 또는 HBV- DNA 양성으로서 B형간염 재활성화 위험이 중등도나 고위험군에 해당하는 항암화학요법(cytotoxic chemotherapy) 또는 면역억제요법을 받는 환자에게 투여 시: 해당 요법 시행 동안 및 요법 종료 후 6개월까지

(2) Anti-HBc 양성으로서 rituximab을 포함하는 요법을 투여하는 환자에게 투여 시: 해당 요법 시행 동안 및 요법 종료 후 12개월까지

(3) HBsAg 음성, HBV-DNA 음성, anti-HBc 양성으로서 조혈모세포이식을 받는 만성 B형 간염 환자에게 투여 시: 총 18개월 투여까지

(4) Anti-HBc 양성인 공여자로부터 간을 공여받는 수혜자로서 HBIG 제제를 투여하지 않는 환자에게 투여시: 면역억제요법 시행 동안 및 요법 종료 후 6개월까지

(표3) B형간염 재활성화 위험도에 따른 약제의 분류 예시

고위험군(재활성화 위험 10% 초과) - rituximab, doxorubicin, epirubicin, 1일 20 mg 초과 4주 이상 투여하는 corticosteroid, etanercept, adalimumab, certolizumab, infliximab, golimumab, TACE 등

중등도 위험군(1-10%) - imatinib, nilotinib, cyclosporine, vortezomib, abatacept, ustekinumab, natalizumab, vedolizumab, 1일 10-20 mg 4주 이상 투여하는 corticosteroid 등

● 2022년 부분개정된 HBV 진료 가이드라인의 'Table 9. Risk of hepatitis B reactivation associated with immune–related therapies'를 꼭 확인하시기 바란다. HBsAg 양성뿐만 아니라 HBsAg 음성이지만 HBcAb 양성인 환자에서의 B형간염 재활성화 위험도도 자세히 정리되어 있다.

3. DAA (direct acting agent)

● B형간염과 달리 박멸을 목표로 하는 C형간염의 치료는 대개 외래에서 이뤄지므로 내과 전공의들이 경험할 기회는 적다. 대한간학회 **C형간염 가이드라인**(Reference #1)을 참고하기 바란다.

● 현재 투여하는 여러 약제가 있는데, HCV genotype, 간경변증 여부, 이전 치료 여부 등에 따라 다소 복잡하여 **대한간학회 홈페이지**의 **"만성간염 치료/급여 길라잡이"**를 참고하시기 바란다(**Reference #2**). 환자의 이전 C형간염 치료 여부를 정확히 리뷰하지 않고 투여하는 경우 급여 기준에 맞지 않았다면 추후 삭감이 굉장히 커서 주의를 요한다.

4. Vasoactive drug

● 중환자실 입실이 필요할 정맥류 출혈, 간신증후군 등에서 vasoactive drug를 투여한다. 요즘에는 terlipressin을 주로 사용하는 편이다. terlipressin 위주로 확인해 보자.

● 적응증: (1) 식도정맥류 출혈, (2) type 1 hepatorenal syndrome (HRS)

● 용량 및 투여 기간: (1) 식도정맥류 출혈 시 2 mg (2A) loading 후 4시간마다 1A 투여, Loading 포함 총 19A(만 3일) 투여, (2) Type 1 HRS – 1 mg을 6시간마다 투여, 투여 시작 3일 후에 크레아티닌 30% 이상 호전 없는 경우 중단하며 통상 10일 투여

● 투여 금기로 패혈성 쇼크, 임산부, 심근경색 가능성 있는 환자, 중증 pulmonary HTN이 해당한다. 조심할 부분은 정맥류 출혈이나 간신증후군 때 저혈량성 쇼크가 아닌 패혈성 쇼크가 동반되는 경우가 있는데, 이럴 때 septic shock 관리 지침에 맞춰 norepinephrine을 투여하는 경우가 잦다. Norephinephrine과 terlipressin을 동시에 투여할 때 손, 발가락에 허혈로 괴사가 오는 경우가 종종 발생하여 주의가 필요하다. 아래의 terlipressin '초과' 급여 기준(**표4**)도 참고하자. 참고로 간신증후군의 아형(1형–2형) 분류를 임상 현장에서 흔히 하지 않는다.

(표4) Terlipressin '추가' 인정 기준(2013-127호)

상기 허가사항의 범위를 초과하여 아래의 기준으로 투여한 경우에도 요양급여를 인정함

(1) 내시경적 치료가 불가능한 위정맥류 출혈에 3일 이내 투여한 경우

(2) 제1형 간신증후군 환자에게 투여한 경우

  ① 투여 시작 3일 후 혈청 크레아티닌의 감소가 있어 10일간 투여하였으나 증상 지속되어 연장 투여가 필요한 경우 5일 추가 투여 시 인정(총 15일 이내)

  ② 투여 시작 3일 후 혈청 크레아티닌의 감소가 나타나지 않았으나 지속투여가 필요한 경우 10일 이내 인정

5. Diuretics

● 간경변증 합병증인 복수 조절 위해 투여하는 이뇨제 관련 사항은 **간경변증 가이드라인(Reference #1)**을 숙지하시기 바란다. Spirono-lactone, furosemide, (amiloride, torsemide)가 자주 투여하는 이뇨제이다.

● 참고로 furosemide 자체는 약의 기전을 고려할 때, hyponatre-mia를 유발하지 않는다. 간경변증 환자에서 불량 예후와 관련있는 저나트륨혈증의 기전인 **dilutional hyponatremia**에 대한 이해가 필요하다.

'적절한' 수액 처방 노하우

입원 환자를 care하다 보면 퇴원이 충분히 가능하나 퇴원을 미루는 환자도 있고, 반대로 입원 치료를 지속해야 하나 의료진과 가족들의 만류에도 불구하고 퇴원하겠다고 고집을 피우는 환자들도 자주 뵌다. 입원 치료는 소비자(환자)와 서비스 제공자(병원)가 일종의 계약을 맺고 진행하기에 소비자인 환자의 퇴원 요구를 무시할 수는 없다. 적절한 수액 관리는 상기 문제에 다소 도움이 된다. 퇴원 가능하다는 전제는 경구 약제로 전환이 가능하기에 퇴원 계획 시 수액처방을 빼야 하며, 후자의 경우 소량의 수액에 컬러가 있는 멀티비타민 등을 믹스하여 달아두면 환자의 입원생활 순응에 일조한다.

---

6. Beta blocker

● 문맥압 항진증을 낮출 목적으로 투여하는 비선택적 베타차단제는 propranolol과 carvediol이 있다.

● Propranolol은 10 mg와 40 mg 제형이 있다. 심박수 감소 효과가 있어 고혈압, 협심증, 빈맥 치료 및 갑상선 중독증의 보조요법, pheo-chromocytoma에서도 수술 전 알파차단제와 병용 투여하고 tremor 나 불안과 관련된 증상, 편두통 예방에도 요양급여가 인정된다. Pro-pranolol은 저가약이라 삭감되는 경우가 없는 듯하다. 적절 용량 투여가 필요한데, 10 mg bid or tid로 모자라는 경우가 많아 환자에 맞는 적절 용량을 결정하고 조절해야 한다. 정맥류 재출혈 예방을 위해 투여가 필요하며, 가이드라인(**Reference #1**)을 꼭 참고하시기 바란다.

● Carvediol은 본태고혈압, 만성 안정협심증, 심부전 외에 허가 사항은 아니다. 허가 사항을 고려하여 처방할 수 있겠다.

7. Albumin

● 간경변증 환자에게 가장 자주 투여하는 주사제 중 하나이다. 일반적인 적응증은 알부민의 상실(화상, 신증후군 등) 및 알부민 합성저하(간경변증 등)에 의한 저알부민혈증, 출혈성 쇼크이다.

● 간질환 관련 급여 기준: 아급성 또는 만성 저단백혈증(만성신질환, 만성간질환 등)으로 인해 발생한 아래의 급성 합병증의 치료(**표5**).

(표5) 알부민 투여 급여 인정되는 급성 합병증의 예

(1) 쇼크

(2) 복수나 늑막삼출에 의한 호흡곤란

(3) 부종

(4) 치료적 복수천자 시 보충(3-5 L 시 20% 100 mL 1병, 5 L 이상 시 2병)

(5) 자발성 세균성 복막염(진단 시 1.5 g/kg, 3일 째 1 g/kg 투여 인정. 단, serum creatinine 1 mg/dL 또는 BUN > 30 mg/dL, 또는 total bilirubin > 4 mg/dL 이어야 함)

(6) HRS (type 1에서 **'혈관수축제와 병용 시'** 첫날 1 g/kg, 이후 2-15일 동안 20-40 g (1-2병)/day 인정)

● 치료적 복수천자, SBP, HRS에서는 혈중 알부민 수치는 무관하나, 입원 후 루틴 랩 추적 시 hypoalbuminemia가 확인되어야 검사일 당일 알부민 급여 투여가 가능하다. 저알부민혈증 기준은 2.5–2.6 혹은 3 g/dL이하는 되어야 하는 듯한데, 병원 담당 심평원 직원마다 평가 및 삭감 기준이 다소 다른 듯하다. 환자의 보험유형이 건강보험인지 의료급여인지에 따라서도 다르다고 한다. 복수천자, 복막염, 간신증후군이 아닌 경우 '당일 혈청 알부민 검사 결과가 없으면' 100/100 자가부담으로도 알부민을 투여할 수 없음을 유의하자.

● 알부민은 심부전이나 폐부종이 발생하지 않도록 천천히 주입해야 한다. 병 크기는 작은데(100 cc) 주입 속도가 느려서 가끔 환자가 drip 속도를 임의로 조절하는 경우가 있다. 절대 투여 속도를 조절하지 못하도록 주의해야 한다.

● (이뇨제 효과를 배가하면서 저알부민혈증도 호전시키고, 폐부종 부작용도 줄일 수 있을 듯한) 알부민 + 라식스 믹스를 권장하지 않는다는 아티클(**Reference #35**)을 참고바란다. 개인적으로는 가끔 RBC 수혈과 알부민 보충을 하루에 해야 하는 경우에는 알부민 투여와 수혈 사이에 Lasix 0.5 혹은 1A IV bolus한다.

● Plasma exchange 시 사용한 알부민은 급여로 인정된다(Eval filter를 사용하면 인정 안 됨). 참고로, 급만성 간부전이나 급성 간부전시 plasma exchange는 알부민이 아닌 FFP를 치환용액으로 사용한다.

8. BCAA, LOLA

● 분지쇄 아미노산(**branched-chain amino acid, BCAA**)은 비대상 간경변증 환자의 저알부민혈증 개선에 도움되나 인정 비급여 항목이라 자가 부담액이 큰 편이다, 외래 환자들이 가장 부담을 느끼는 약제 중 하나이다. *Livact*®, *Ascite*®, *Livernut*® 등의 약이 유통되는데, 모두 성분(L-isoleucine, L-leucine, L-valine)과 함량이 동일하다.

● **LOLA (L-ornithine L-aspartate)**는 간경변증 환자의 간장제 및 간성뇌증 치료로 도움이 된다. 상품명은 *Hepa-Merz*®로 경구 산제(3 g/포)는 2 팩 bid(하루 4포가 급여 가능하다는 의미인데, 1 팩 tid를 처방했다가 bid 허가약제를 tid로 투여했다는 지적과 함께 삭감당한 황당한 경우가 있었다) 투여한다. 주사제로는 용량에 따라 다음의 두 종류가 있다. *Hepa-Merz infusion*® 5 g/A[간성뇌증시 1일 40 g (8A) IV mix 가능], *Hepa-Merz injection*® 500 mg/A[간염, 간경변증, 감염 후유증 – 하루 2A (중증에는 하루 4A) 정맥 주사 가능, 초기 용량 – 1주일간 1 g/day, 유지용량 – 3-4주 동안 1 g/day 투여 혹은 IV 및 경구 투여를 격주로 사용]

9. Lactulose, Rifaximin

● Lactulose syrup은 간성뇌증 치료 및 예방에 도움이 된다. 하루 배변 2-3회 정도로 유지하도록 조절한다. 참고로 간성뇌증의 단계가 낮아서 aspiration 우려가 없다면 경구 투여가 관장보다 편하다(관장액이 rectum에서 충분히 저류되지 않으면 효과가 떨어진다). 고단계의 간성뇌증은 lactulose를 이용한 관장이 필요하다. 낱개 포장 혹은 대형 통포장이 있어 투여량이나 관장용으로 사용하는지에 따라 구별 처방한다. 갈락토오스, 락토오스가 함유되어 단맛이 나고, 투여량이 많은 경우 DM 환자에서 sugar 양을 고려해야 한다.

● Rifaximin (*Normix®*)은 간성뇌증의 재발을 만족스럽게 낮춰준다. 간성뇌증 때 400 mg (2T) tid, 참고로 traveller's diarrhea에는 200 mg (1T) qid 처방한다. 장에서 작용하는 비흡수성 항생제이며 일반 항생제와는 성격이 다르다고 간주하시기 바란다. 진단명에 간성혼수가 포함되면 삭감 우려가 없다(ICD 코드의 한글 진단명은 아직 간성뇌증으로 변경되지 않았다).

10. Thiamine

● Vitamin B1인 thiamine 결핍은 alcoholic liver disease 환자에서 종종 발견된다. 알코올 케톤산증 동반 유무 무관하게 thiamine deficiency인 상태로 내원한 상태에서 dextrose만 투여하면 본과 생화학 시간에 배운 pyruvate가 Krebs cycle에 이용될 수 없고 lactic acidosis가 심해질 수 있기 때문에 dextrose 투여 직전 혹은 동시에 thiamine 투여가 필요하다. Wernicke's encephalopathy가 꽤 심하게 발생하는 알코올 환자도 보인다.

● 10 mg 경구제와 50 mg인 주사제가 있어 상황에 맞게 투여한다. 권고되는 하루 보충량은 100–300 mg 라서 하루 2–6A을 SC, IM 혹은 IV한다.

● 500 mg/day의 high–dose thiamine 3일 투여는 특별한 부작용 없이 Werniche's encephalopathy에 도움이 된다. Acute alcohol intoxication 및 입원하여 단주 48–72시간에 peak로 나타나는 금단증상이 베르니케 뇌병증과 구별이 어려울 수 있으니 입원 초기 **mega-dose** 3일 투여는 추천할 만하겠다.

11. Prednisolone

● 간분과에서 스테로이드를 투여하는 흔한 3가지 경우는, (1) 자가면역간염, (2) DF > 32의 심한 알코올 간염, (3) (독성 간염 등에 따른) prolonged cholestasis 때이다. 자가면역간염이 진단된 후 간효소가 정상 5배 이상이거나 조직검사상 bridging necrosis나 panacinar necrosis 확인, IgG가 정상 상한치 2배(3,200) 이상인 경우 프레드니솔론 단독이나 azathioprine과 병합 투여한다. 독성 간염을 포함한 황달이 심한 cholestatic pattern으로 나타나는 간염의 경우에도 투여한다. 의미있는 고빌리루빈혈증이 호전되는 경우가 꽤 많다. 단, hidden viral infection이 의심되는 경우에는 viral replication을 심하게 할 위험으로 신중해야 한다.

● 최근 면역항암제 투여가 확대되면서 immune-related adverse effect 치료를 위한 스테로이드 투여 빈도도 늘어가고 있다.

● Severe alcoholic hepatitis에 prednisolone 투여를 선호하지만, 스테로이드 투여를 투여하기 어려운 uncontrolled infection, GI bleeding, hyperglycemia나 renal failure가 동반되면 차선책으로 **pentoxifylline** (*Trental®*)을 투여한다. Pentoxifylline은 hemorrhagic한 특성으로 인해 bleeding 발생 여부를 유의하여 관찰해야 한다.

12. 표적치료제, 면역항암제

● 표적치료제로는 간암 치료에 주춧돌이 되었던 **sorafenib** (*Nexavar®*)이 있었고, 이 약에 반응이 미진할 때 후속 투여하는 2차 약제로 **regorafenib** (*Stivarga®*)이 있다. 두 약제 모두 hand-foot syndrome, 피로감, 설사, 발진, 고혈압, 오심/구토, 식욕 저하, 고혈압 등이 나타날 수 있다. 수족증후군은 약제 감량이나 중단을 하는 경우도 있어 부작용에 대한 grade를 따질 필요가 있다. **Lenvatinib** (*Lenvima®*)은 1차 표적치료제로 sorafenib보다 부작용이 적어 tolerable하게 환자들이 복용한다. 효과는 Nexavar에 비열등성이 입증되었다. 구내염이나 발음곤란을 호소하는 경우가 있다.

● 면역치료제는 anti-PD-L1 Ab인 **atezolizumab** (*Tecentriq®*, 티쎈트릭)과 **bevacizumab** (*Avastin®*)이 2020년대 이후 hepatologist 들에게 주목받고 있다. Anti-VEGF Ab인 아바스틴은 대장암에서도 사용하고 있어서 익숙한 약제이다. 아바스틴은 출혈 경향으로 인해 간암 환자에서 자주 동반한 정맥류가 내과적으로 조절이 어렵거나 출혈한 경우 투여가 제한된다. Vessel에 작용하는 약제라 고혈압, 단백뇨가 부작용으로 발생 가능하나 이에 대해서는 적절히 조절 가능하다고 본다.

● **10장**의 간암 치료 파트와 2022년 updated BCLC (**Reference #31**)를 개괄적으로 이해하시기 바란다.

배수 처방 삭감

내과 의사가 알아두어야 할 중요한 개념이다. 동일 성분 및 제형의 고함량 약품이 생산될 경우 저함량 의약품을 배수로 처방하지 못하게 한다는 의미이며, 배수 처방 시 급여가 삭감된다. 고혈압, 고지혈증 포함한 국내 시판되는 많은 약제가 이에 해당하여 주의를 요한다.

만성 간질환 환자에서의 medication-related problems (MRPs)

모든 질환에서 고려할 점이겠으나, 만성 간질환 환자는 약제를 투여할 때 아래의 약제 관련 문제(MRPs)를 더 유의해야 한다. 우선 (1) 적절한 용량인지 확인 필요하다. 이뇨제 용량이 부족하다면 복수가 심해질 것이고 과다하다면 탈수나 신기능 이상, 전해질 불균형이 발생할 것이다. (2) 환자의 drug non-adherence도 고려해야 한다. 약효가 부족한 게 아니라 환자의 compliance가 떨어진 경우도 종종 보인다. 또한 (3) 약제간 상호 작용이나 부작용 관리가 필요하다.

특히 (4) 간경변증 환자에서는 **pharmacokinetics(약동학 – 신체가 약을 대사하는 과정)**과 **pharmacodynamics(약력학 – 약이 신체에 나타내는 효과)**이 달라져서 투여 시 주의를 요한다. 대표적 약제에는 codeine, tramadol 등의 opioids, NSAIDs, metoclopramide, antiplatelet agent, NOAC, statin, zolpidem 등이다.

MRPs을 최소화하려면 환자 교육과 약효와 부작용에 대한 모니터링이 근간이 되어야 한다. 퇴원 후 환자를 1–2주 정도 후 외래에서 short-term f/u하는 것도 이런 일환이다. 스마트폰 앱을 개발하여 사용하는 방법도 보완책이 될 수 있겠다.

입원 처방 실례

연차가 올라가면 입원처방에 익숙해지고, OCS상의 daily order가 내 얼굴이나 자존심의 표상인 듯 생각되어 정갈하게 처방하게 된다. 하지만, 전공의 1년차 초반의 혼란스러운 상태에서는 매일 다음날 오더 처방하기에도 바빠서 정돈된 오더 처방이 어렵다. 내과 입국 후 충분히 오더 처방의 예나 실전에서의 수액 처방 등에 대해 선배들의 오리엔테이션을 받으면 좋은데 요즘엔 3월부터 공식 업무 시작이라 쉽지 않다. 예전에는 픽스턴 2월 하순 혹은 마지막 주부터 오버랩하여 선배들에게 배울 여유가 더 있었다(2월부터 고생하라는 말이 절대 아니다. 전공의법 위반이다).

정돈된 오더를 처방하는 습관을 들이다 보면 환자의 problem lists에 따른 치료 계획도 재정리될 수 있다. 깔끔한 오더는 의사와 간호사 사이의 의사소통도 원활하게 하여 **근접오류**나 **위해사건** 발생을 줄일 수 있고, 불필요한 병동 call도 줄일 수 있다.

오더에 대한 언급을 하며 강조하고 싶은 건, 오더 처음을 구성하는 **management order**에 대한 부분이다. **Housestaff**이라고도 부르는 병동 주치의인 전공의는 입원 환자의 모든 것을 관리하고 조절하는 나름대로의 '막강한' 권한과 책임이 있다. 즉, 환자를 침상에만 둘 수 있고, 필요시 가족에게 동의를 얻은 후 신체보호대로 신체 억제를 시행하기도 하며, 식사 종류와 칼로리를 결정하고, 생체징후를 몇 번 체크할 지, 각종 도관 유지를 어떻게 할 지를 정할 수 있고 결정해야 한다. 그러므로 루틴으로 기본 저장된 양식을 repeat하지 말고 환자 개인에 맞춰서 입력함이 원칙이다.

사족으로, 환자의 생체징후 체크는 자주 하면 환자의 불량한 상태나 변화를 더 잘 파악하겠으나, 중환자실이나 sub-ICU가 아닌 general ward에서 잦은 생체징후 측정은 환자에게 불편감을 유발하고, 병동 간호사 업무에 지장이 되어 지양해야 한다. 상태가 불안정한 환자는 모니터링을 위해 중환자실로의 이실이 필요하다. 적절한 시기의 중환자실 이실 결정은 환자 안정 도모에도 필수적이고, 가족에게 환자 상태의 위중함을 설명하는 계기도 된다.

기본 오더 구성부터 살펴보자. 병원마다 상황이 다를 거라 다음의 내용을 참고하되 각 병원 환경에 맞게 조절해야 한다. 한가할 때 개인 약속 처방을 잘 만들어두면 편리하다. 2–3회 클릭으로 입력한 후 필요한 것만 남기고 지우거나 수정, 추가하면 된다.

1. 입원 오더의 기본 항목부터 살펴보자.

일반병동 입원 오더 기본 항목

(1) (신환인 경우) Height & Weight
(2) Vital sign – q duty or q 8 hours/q 6 hours/q 4 hours
(3) I/O – check I/O or check urine output q duty/q ___ hours
(4) Activity – ABR/Bed rest/Bathroom privileges (화장실 허용)/Ward ambulation/No limit.
(5) Position – No limit/Head elevation 30° (= semi–Fowler position)/Supine/Leg elevation
(6) Oxygen supply: ___L via nasal cannula/mask/reservoir mask
(7) Drains: keep L–tube to gravity/low wall suction, Foley catheter to gravity, PCD drainage open/___mL qd/bid/tid
(8) (DM 등 필요한 경우) check BST qid/q 4 hours/q 2 hours/hourly
(9) Diet – Tolerable diet(상식)/Soft diet(연식)/Liquid diet(유동식)/Sips water (= SOW)/NPO
(10) IV fluid – type & infusion rate

(11) Medications
(12) prn medication
(13) 각종 검사 처방 – lab, x-ray, ECG 등
(14) **Notify physician if**

● OCS에 기본 저장된 진단명이 잘못 체크되었을 경우도 있어 주진
단명을 오더 처음에 "Diagnosis:_____"라고 넣거나, "Discharge
Goals:_____"을 명시화하기도 한다.

● 특정 음식이나 약제에 대한 알레르기, 과민반응이 있는 경우 공유
하도록 오더에 기술하면 좋고 약 처방 시 잊지 않을 수도 있다.

● 신장, 체중으로 BMI나 BSA를 계산하거나 신장, 체중만 입력하면
두 수치가 자동 계산되기도 한다.

● 간질환 환자는 보통 입원 후 daily로 body weight check한다.
Intake는 정확하게 측정하기 어렵다. 소변량이나 체중은 객관적이다.

● DVT 예방 목적 및 하지 근력 소실 방지를 위해 activity 제한은 가
능한 하지 않으면 좋다.

● 1–2시간마다 BST 체크가 필요하면 DKA 혹은 HHS일 거라 입원 초
기에는 중환자실로 입원했을 수도 있겠다.

● Tube feeding이나 특수식인 경우 상세히 기술하고, 열량이나 단
백질, 염분을 구체화하기도 한다.

- 승압제 등 주입속도를 세밀히 조절할 때에는 infusion pump를 apply하여 cc/hr 식으로 구체화한다. 일반 수액은 infusion set을 이용하도록 gtt수를 명시한다(10 gtt ≒ 40 cc/hr ≒ 1 L/day).

- 중요한 약은 오더만 입력하지 말고 투여 시작 일자나 방법에 대한 구체적인 설명이 필요하다.

- *Prn* 처방 시 pain killer 등을 **VAS** (visual analog scale) 몇 점 이상 시 어떻게 투여하는지 구체적으로 입력한다. 참고로 마약류나 향정신성의약품은 prn 지정이 불가하다. *Prn* 해열제는 체온 몇 도 이상이 어느 정도 지속되면 어떤 약을 투여할 지 구체화한다.

- *Prn* 처방은 남발하면 안 된다. 통증이나 발열이 나타나면 의사의 진찰이 필요한 경우도 있다. 요즘은 의료기관 인증평가 시 *prn* order를 적절히 시행하는지도 확인한다.

- 당연히 생체징후나 의식상태 변화가 관찰되면 병동 간호사에게 노티가 오겠지만, 추가로 필요한 상황을 환자 특성에 맞춰 구체화하면 좋다.

- NPO 필요한 예약된 검사를 NPO가 안 되어 스케줄이 취소되거나 조절되지 않도록 내시경이나 USG, CT, MRI 등 검사가 예정되어 있으면 특수 검사 일정을 오더창에 미리 남겨두면 의사와 간호사가 double로 체크하여 오류 발생을 줄일 수 있다. 대장내시경은 검사 전 날부터 장정결을 준비하기도 한다.

- 추가로 타과에 의뢰한 협진 내역도 오더창에 메모식으로 남겨두면 ("OO과 협진 답신 확인 필요") 협진 의뢰 후 의뢰서를 작성한 본인이

의뢰 내역이나 답신 확인을 잊는 경우도 줄일 수 있다. 환자가 병동을 옮겨 병동 전공의가 바뀔 때 종종 인계가 누락되기도 한다.

2. 중환자실 처방은 상기 내용에 아래 내용이 추가된다.

중환자실 추가 처방

(1) Apply multimonitor
(2) Check V/S per protocol or hourly
(3) (if needed) Check mental status with PPRL (prompt pupil light reflex)
(4) (If needed) Check CVP qd/bid/tid
(5) Reposition q 2 hours
(6) DVT prophylaxis – apply LMWH/compression stocking/IPC
(7) Stress ulcer prophylaxis – H2 blocker or PPI PO/IV
(8) Specific order for ventilator & CRRT setting, sedation, etc.

● DVT prophylaxis는 중환자실 아닌 일반병실에서도 기본적으로 필요하다. High risk 환자는 입원 시 구분하여 심각한 bleeding이 동반되지 않았다면 LMWH를 처방하길 잊지 말아야 한다. 중환자실에 입실한 원인질환은 잘 케어했으나 갑작스럽게 폐색전증이나 뇌경색이 발생하여 환자 상태가 악화되기도 한다.

● 중환자실에서 생체징후나 자세변동은 중환자실 간호사 기본 업무라 사족으로 느껴지기도 한다.

- 비대상 간경변증 환자(특히 C–P class C)에서 PPI 사용은 contro-versy가 있다. PPI 투여가 부적절하면 H2 blocker IV를 하는데, H2 blocker는 2주 이상 지속 투여하면 효과가 떨어진다.

3. 간질환 환자의 영양상담

2019년 유럽간학회에서 제시한 만성 간질환 환자의 nutrition 관련한 가이드라인(**Reference #36**) 중 중요한 메시지를 정리하면 아래와 같다. 읽어보면 지극히 상식적이지만 실천에 옮기기 어려운 내용들이다. 본문 내용 중 환자가 오해할 수 있는 내용은 약간 수정하였다.

간질환 환자를 위한 짧고 현실적인 식이 상담

(1) 주변에서 보거나 들은 특정 음식과 간의 관계는 대부분 과학적 근거가 부족합니다. 고른 음식 섭취를 권장합니다.

(2) 음주는 당연히 간 건강에 해롭습니다.

(3) 만성 간질환 대부분의 환자들에게 적정량의 열량과 단백질 섭취가 특정 종류의 음식을 피하는 것보다 중요합니다.

(4) 하루 3번 규칙적인 식사가 중요합니다.

(5) 과일과 야채 섭취도 필요합니다.

(6) 과다 염분 섭취도 피하십시오. 싱겁게 드시다 보면 시간이 지날수록 차츰 익숙해집니다.

(7) 간성뇌증을 동반한 간경변증 환자가 단백질 섭취를 임의로 줄이면 안 됩니다. 의료진에게 문의 후 영양상담을 권유합니다.

(8) 당뇨병, 과체중/비만과 같은 다른 질병을 가지고 있다면 식이 조절이 필요합니다. 식이요법에 대한 전문가의 조언이나 교육을 받으시길 권장합니다.

14 입원 처방 실례

4. 아래에 간분과로 입원하는 몇 가지 대표 질환별 오더를 정리해 보겠다.

(예 1) 급성 간염

\<Admission Order\>
(1) Check height and body weight
(2) Check V/S q duty
(3) Check I/O q duty
(4) Activity – 제한 없음
(5) Position – 제한 없음
(6) Diet – 간염식
(7) IV fluid – Adelavin 2A or Hepa–Merz injection 4A mixed 5DS 1L, 10 gtt

수액 실제 처방 –
PO medications 처방 –
Admission lab, urinalysis, ECG, X–ray
Liver dynamic CT 처방/예약

● **부연 설명**

1) 체중은 익일 처방부터는 "check body weight daily morning"으로 변경한다(**예2**부터 이하 생략).

2) PT INR이 1.5 이상이거나 performance status가 불량하다면 activity는 bed rest 혹은 화장실만 허용 정도로 제한한다. 간병인이나 가족 상주도 필요하겠다.

3) #1~7까지는 text로 입력한다. OCS에 V/S이나 I/O, B.W는 OCS에 기본 세팅 처방이 있기도 하다.

4) '간염식'은 '간장식'이라는 이름일 수 있다 – 병원마다 다르다. 급성 간염 시 nausea가 심해서 식사를 거부하는 경우도 종종 있다.

5) 간염 초기 poor oral intake 있으면 수액을 추가한다. 체격, 전해질, 신기능에 따라 조절 필요하다.

6) 경구 약제는 환자의 증상에 맞게 처방한다. 보통 간장제(**13장** 참고), 위장약, 소화제 등을 추가한다.

7) 기본 lab은 앞서 밝힌 바와 같이 본인 약속 처방을 만들어두면 전공의 3년간 처방 입력이 용이하다.

8) 입원 시 급성 간염 원인 평가를 위한 viral markers 등 제반 항목들이 포함되어야 한다(다음 페이지의 급성 간염 기본 혈액검사 항목 참고–소변검사도 포함됨). 다음 처방 시 중복되지 않도록 유의한다. A형간염이 의심되나 HAV IgM Ab가 1차 검사에서 음성이면 수일 후 재검기도 한다.

9) 30세 이하로 나이가 어린 환자에서는 방사선 피폭을 줄이기 위해 CT대신 초음파를 처방하기도 한다. 다만 중증의 간염은 liver dynamic CT 촬영이 필요하다. 타원에서 CT를 촬영해서 내원한 경우 원내 PACS 등재 및 외부 영상 판독을 의뢰하고 재촬영을 안 하는 경우도 있다.

급성 간염 기본 혈액검사 항목 예시

CBC with differential count
Prothrombin time (*and/or* PTT)
Liver panel (protein/albumin, ALP/GGT, AST/ALT, Total/direct bilirubin)
BUN/Cr, electrolytes, mineral (ionized calcium, magnesium 포함)
Glucose, lipid profile, CRP
Amylase, lipase
Urinalysis with microscopy
HBsAg/Ab, HBcAb IgM/IgG
HCV Ab (*option*. HCV RNA)
HAV Ab IgM
HEV Ab IgM/IgG (option. HEV RNA)
HIV Ab

Antinuclear Ab (ANA or FANA), IgG, antimitochondrial Ab (AMA)
(option. anti-LKM Ab, anti-smooth muscle Ab)
Ceruloplasmin, 24 hour urine copper

필요한 경우,
Iron/TIBC/ferritin
Alpha-1-antitrypsin
IgM Ab or PCR for EBV, CMV, HSV

(예 2) 간경변증1 – 복수

<Admission Order>
(1) Check height and body weight
(2) Check V/S q duty or q 6 hours
(3) Check I/O q duty
(4) (DM 있는 경우) check BST qid
(5) Activity – ward ambulation
(6) Position – 제한 없음
(7) Diet – 간경화식
(8) IV fluid – 5DW 500, keep vein open

수액 처방 –
PO medications 처방 –
Admission lab, ECG, X–ray
urinalysis, urine chemistry, urine electrolyte,
Liver dynamic CT
Diagnostic and therapeutic paracentesis lab + albumin supplement

● 부연 설명

1) V/S을 하루 3번(간호사 duty와 대략 동일함)이 아닌 4번(midnight 포함) 체크하기도 한다.

2) I/O control이 중요한데, intake는 정확하지 않아도 소변량과 체중은 가능하면 정확히 측정한다. 신기능 양호하면 소변량 확인은 안 해도 되겠다.

3) 간경변증 환자에서는 I/O sheet에 포함된 배변 횟수 확인이 중요하다.

4) BST – 간경변증이 있으면 당뇨병을 동반한 경우가 잦아진다.

5) Activity – 복수로 인해 거동 자체가 쉽지 않을 것이다. 다만 예전과 달리 요즘에는 침상안정을 권상하지 않는다.

6) 하지 부종이 심할 때에는 leg elevation을 권하기도 한다.

7) 간경변식은 여전히 '간경화식'으로 표현하는 영양팀이 많을 것이다. 식사요법(특수식)을 신청하면 영양사가 연계된 영양교육을 해주기도 한다. 다만 환자들이 저염식을 못 견디면서 별도로 가져온 반찬이나 소금, 김치 등을 먹으려 할 수 있어서 외부음식을 제한해야 한다.

8) 환자가 물이나 음료를 너무 많이 마시면 water restriction을 한다. 하루에 물 1.5–2 L를 마셔야 건강하다고 생각하는 간경변증 환자도 꽤 많다.

9) 수액은 대개 필요하지 않으나 입원일에는 여러 검사도 있어 keep vein open으로 DW을 달아두기도 한다. 다음 날부터 수액은 빼도 된다. 입원했는데 왜 다른 환자처럼 수액을 안 주냐고 환자가 물을 수 있어 입원 이유를 설명해주자.

10) PO에 이뇨제, BCAA, LOLA 추가를 고려한다. 이뇨제는 복수 천자 이전부터 투여를 시작하기도 한다. 보통 Aldactone/Lasix 50/20 mg qd 혹은 100/40 mg qd로 시작하며 복수 관리 추이에 따라 2–3일 후부터 증감한다. 이전에 이뇨제를 복용하던 환자는 입원 중 이뇨제를 증량하기도 한다. 이뇨제를 투여하며 신기능과 전해질 추적이 필요하다.

11) Lab에는 과거에 시행한 viral markers나 AFP를 확인하여 추가를 결정한다. Hypothyroidism 등 평가를 위해 TFT를 포함하기도 하고, heart failure가 의심되면 BNP도 추가하면 좋겠다.

12) 소변검사에 spot urine Protein/Cr과 urine electrolyte를 추가하여 체크한다. Proteinuria가 의심되는 소견이면 이후 24 hour collected urine chemistry가 필요할 수 있다.

13) CT는 신기능 확인 후 촬영 여부를 confirm하면 좋다.

14) 복수 관리를 위해 입원하는 환자는 대개는 복수 천자가 필요하여 입원 당일에 시행하기도 하고, 처음 복수가 발생했으면 CT를 확인한 후 복수 천자를 시행하기도 한다. 선배 전공의나 책임의사에게 물어보고 정하자.

15) 알부민 보충은 **8장**과 **13장**에 언급한 바대로 복수 배액량에 따라 급여 투여 가능한 양이 정해진다. 예를 들어 복수가 2.8 L 배액되었을 때 알부민 투여를 어떻게 할 지는 각자의 융통성에 맡기겠다.

(예 3) 간경변증2 – 간성뇌증

＜Admission Order＞
(1) 가족이나 간병인이 퇴원 시까지 병상을 지키도록 안내바랍니다.
(2) Check V/S q 6 hours or q 4 hours
(3) Check I/O q duty
(4) (DM 있는 경우) check BST qid
(5) Activity – 화장실 출입만 허용 혹은 bed rest
(6) Position – 제한 없음
(7) Diet – NPO 혹은 간성혼수식
(8) IV fluid – Hepa–Merz infusion 8A mixed 5DW 500 (5 gtt) or 1 L
    (10 gtt)

수액
PO medications
Admission lab, ECG, X–ray portable, urinalysis
Brain CT or diffusion MRI
High grade HEP는 lactulose enema

● 부연 설명

1) 간성뇌증 환자는 low grade HEP라면 외래에서 입원장을 받고 입원할
수 있지만, 대개의 경우 응급실을 경유하여 입원할 것이다. 응급실에서
lab이나 brain imaging study는 진행했을 것이다. 이전부터 간경변증을
알고 있고, 간성뇌증으로 입원한 여러 번 기왕력이 있어도 새롭게 뇌출혈
이나 뇌경색이 발생하여 의식 변화를 보이는 경우도 종종 있다. 응급실에
서 촬영하지 않은 경우 noncontrast brain CT라도 권장한다.

2) **8장**에서 밝힌 바대로, 간성뇌증의 predisposing factors를 규명하는 것이 중요하다. 타과나 타원에서 처방받은 약제 확인도 필요하다.

3) 거동 가능한 정도의 저단계 간성뇌증 환자는 화장실 허용이 가능하나, 낙상 우려가 높다면 bed rest가 필요하다. 당연히 가족이나 간병인이 병상을 지키도록 안내하여 낙상 등 안전사고 예방에 주의하자.

4) 특수식으로 단백질을 제한한 간성혼수식(영양사들에겐 간성뇌증이란 말이 아직 친숙하지 않을 수 있다)을 처방하는데, aspiration 위험이 높은 입원 초기에는 NPO가 낫다.

5) NPO를 한다면 TPN 단기 처방이 필요하다.

6) 수액 양은 식사 정도에 따라 결정한다. 간성뇌증 환자들이 복수를 동반한 경우도 많아서 수액에 염분이 포함되는 경우 복수나 부종 악화 여부도 신경써야 한다.

7) LOLA 8A/day는 간성뇌증에 도움이 된다. Injection이 아닌 infusion으로 처방하자(**13장** 참고).

8) PO medications 역시 식이처럼 aspiration 우려가 없다면 lactulose, rifaximin, BCAA를 꼭 포함한다.

9) Lab에는 ammonia를 추가해서 보기는 하나 계속 f/u할 필요는 없다(사견임). 오히려 신기능이나 전해질 이상, 간기능이 이전보다 전반적으로 악화되었는지 비교가 중요하다.

10) 처방하는 관장 빈도는 환자마다 달라서 언급이 어렵다. 의식 호전 정도와 관장이 적절히 잘 되는지에 따라서도 달라지기 때문이다.

11) 의식 변화 시 고혈당보다는 저혈당이 문제가 되는 경우를 더 조심하자. 너무 strict하게 glycemic control을 하지 않는 편이 좋다.

(예 4) 간경변증3 – 정맥류 출혈

<ICU Admission Order>
(1) Apply multimonitor
(2) Check V/S hourly
(3) Check I/O (q 2 or) q 4 hours
(4) (DM 여부 무관하게) check BST qid
(5) Activity – ABR
(6) Position – supine
(7) Diet – NPO
(8) IV fluid – main fluid + TPN
(9) Keep C–line, Foley catheter

수액
Terlipressin + (high dose PPI IV), antibiotic IV
PO medications – *skip*
Admission lab, ECG, X–ray portable), urinalysis
Transfusion – packed RBC and/or FFP, PC

● 부연 설명

1) 토혈로 정맥류 출혈 혹은 소화성 궤양 출혈(가끔은 궤양 출혈이 아닌 Mallory–Weiss syndrome임)이 의심되는 경우는 외래보다는 응급실을

경유하여 입원할 것이다. 이미 내시경은 시행했을 수 있다.

2) 정맥류 출혈이었다면 식도나 위와 무관하게 terlipressin을 스케줄대로 투여해야 하고, 아직 출혈 병소가 확인되지 않았다면 terlipressin과 PPI IV high dose continuous infusion을 함께 처방한다. 항생제 주사 투여도 중요하다.

3) 응급실에서 시행한 lab을 이미 실행했거나 상기한 약제 투여를 시작하고 있을 수 있겠다.

4) 수혈 후 CBC나 PT를 f/u하는데, 환자의 출혈 상태에 따라 검사 간격을 조절한다.

5) 추가 수혈 여부도 환자의 증상과 여러 징후를 보고 판단한다.

6) Massive transfusion이 필요할 상황이면 그 날 낮이나 밤은 환자 manage로 바쁠 것이다. 기관삽관과 SB tube 삽입 여부를 **8장**을 참고하여 책임의사나 백업을 하는 전임의(임상강사) 선생님과 상의하자 – 이미 지침이 내려왔을 수 있다.

7) 정맥류가 안정되어 식이를 재개할 때 재출혈을 막기 위해 beta blocker PO를 투여 시작 혹은 재개한다.

8) 참고로, 중환자실 입원한 환자에게는 당뇨병 여부 무관하게 수일간 BST check가 급여 인정된다.

9) 상부 위장관 출혈 의심 시 L–tube 삽입은 위장관 출혈 여부를 확인하는 차원에서 시행하는 것이고, 응급 내시경이 가능한 의료기관에서는 무리

하게 L-tube를 삽입하여 확인할 필요가 없다. 다만 L tube를 삽입한 경우
지속적인 출혈 여부(fresh blood drainage)를 간접적으로 확인하는 데에
도움이 되기도 한다.

간경변증 기본 혈액검사 항목 예시

CBC with differential count
Prothrombin time (*and/or* PTT)
Liver panel (protein/albumin, ALP/GGT, AST/ALT, Total/direct bilirubin)
BUN/Cr, electrolytes, mineral (ionized calcium, magnesium 포함)
Glucose, lipid profile
Amylase, lipase
CRP (*option*. procalcitonin)
Ammonia – venous and/or arterial
Serum and urine osmolality
Urinalysis with microscopy
Urine electrolyte, urine chemistry
HBsAg/Ab, HBcAb IgG
HCV Ab, HAV Ab IgG, HIV Ab
Antinuclear Ab (ANA or FANA), IgG, antimitochondrial Ab (AMA)
(*option*. anti-LKM Ab, anti-smooth muscle Ab)
Ceruloplasmin, 24 hour urine copper
Free kappa/lambda light chain
TFT – TSH, free T4, and/or T3
AFP or AFP-L3
Blood type – ABO, Rh

필요한 경우,
HBV, HCV 추가 검사 (**3장** 참고)
Factor V
Cystatin C

Iron/TIBC/ferritin
Alpha-1-antitrypsin
Pro-BNP
M2BPGi

● 　간경변증 환자의 영상검사는 신기능 이상 등의 이유가 아니라면 대개 첫 평가는 dynamic CT를 시행하는 경우가 흔하다. **4장**에서 언급한대로 3 phase dynamic CT로 촬영이 필요하다.

● 　간경변증이라 하더라도 추후 예후와의 관련성 확인을 위해 Fibro-Scan이나 shear wave elastography를 시행할 수 있겠다(**5장** 참고).

● 　문맥압 항진증 평가위한 baseline HVPG 측정을 시행하는 센터도 있다(**4장** 참고).

● 　식도나 위 정맥류를 동반한 경우도 간경변증 환자의 상당수에서 발견되어 위장관 증상이나 출혈이 없어도 간경변증이 진단되면 baseline study로 상부위장관 내시경을 추천한다.

간암 기본 혈액검사 항목 예시

CBC with differential count
Prothrombin time (*and/or* PTT)
Liver panel (protein/albumin, ALP/GGT, AST/ALT, Total/direct bilirubin)
BUN/Cr, electrolytes, mineral (ionized calcium, magnesium 포함)
Glucose, lipid profile
Amylase, lipase
CRP (*option*. procalcitonin)
Ammonia – venous and/or arterial
Serum and urine osmolality
Urinalysis with microscopy
Urine electrolyte, urine chemistry
HBsAg/Ab, HBcAb IgG
HCV Ab, HAV Ab IgG, HIV Ab
Antinuclear Ab (ANA or FANA), IgG, antimitochondrial Ab (AMA)
(*option*. anti–LKM Ab, anti–smooth muscle Ab)
Ceruloplasmin, 24 hour urine copper
Free kappa/lambda light chain
TFT – TSH, free T4, and/or T3
AFP (or AFP–L3), PIVKA–II (*option*. CA 19–9, CEA)
Blood type – ABO, Rh

필요한 경우,
HBV, HCV 추가 검사 (**3장** 참고)
ICG R15
Factor V
Cystatin C
Iron/TIBC/ferritin
Alpha–1–antitrypsin
Pro–BNP
M2BPGi

● 간암 환자의 80–90%는 간경변증을 동반하여 간경변증 초진 평가와 유사하다. 종양표지자를 추가할 수 있겠다. AFP–L3를 처방하면 AFP는 기본으로 포함된다.

● Surgical resection을 시행받을 환자도 포함될 것이므로 수술 후 잔존 간기능을 예측하는 방법으로 ICG test (indocyanine green 15분 정체율)를 시행한다. 일반적으로 ICG–R15 10% 이하가 정상이며, 10–15% 미만이면 수술이 안전하다고 판단하나 문맥압 항진증을 모두 반영하지 않기 때문에 환자 특성을 종합해야 한다.

● 모든 간암 입원 환자는 기본으로 ECOG (Eastern Cooperative Oncology Group – '이콕'이라고도 줄여 부름)을 평가하여 의무기록에 남겨두자(**Reference #37**). 악성종양 환자에서는 필수다.

ECOG performance status	
Grade	**ECOG**
0	무증상
1	약간의 증상
2	증상이 있어서 낮 시간 50% 이하를 누워서 지냄
3	낮 시간 50% 이상을 누워서 보냄
4	종일 누워서 생활함
5	사망

● 간암환자의 baseline radiologic evaluation modality는 환자마다 다를 수 있겠다. Intrahepatic lesions 확인도 중요하겠으나 병기 설정을 위해 extrahepatic metastasis 여부 확인이 필요하다.

● 간의 주병변 평가를 위해 CT (pelvis가 포함되어야 한다)와 gadox-etic acid–enhanced liver MRI를 촬영한다 – '프리모비스트'라는 조영제를 사용해야 한다(**4장** 참고). 각 병원 오더를 재확인해보자.

● Liver image는 기본 dynamic liver CT에 chest CT도 촬영이 필요하다. Mediastinum 평가도 포함되어 chest CT는 enhance를 해야 하는데, 오더를 추가하여 liver dynamic CT 촬영 시 chest CT를 함께 촬영할 수 있는 방법이 각 병원마다 정해져 있을 것이다.

● Bone metastasis 평가는 기본적으로 whole body bone scan을 예약해 둔다(**4장** 참고).

● Brain metastasis 여부 확인 위한 brain imaging은 brain CT로도 가능하나 필요시 brain MRI를 촬영하는 경우도 있다. Brain MRI도 오더가 다양하여 각 병원 영상의학과 뇌 영상 전문의나 방사선종양학과 전문의가 지정하는 영상 촬영이 필요하다. 두드러진 신경학적 증상이 없을 때에는 뇌 영상은 촬영하지 않기도 한다.

● **4장**에서 언급한 대로 간암 환자 대상의 PET CT는 제한적 급여가 인정되고 있다. 예를 들어 spine 등 bone metastasis가 CT나 bone scan에서 '의심'되어 추가 평가로 PET CT를 추천하는 경우 급여 인정이 되기도 한다. 간암에 대해 수술적 절제나 간이식 예정인 경우에는 급여 검사가 가능하다. 심평원의 삭감 기준이 대중이 없다고 느껴질 때가 많아서 검사 필요한 경우는 책임의사께 시행 여부를 여쭤보고 각 병원 보험팀에도 확인 후 처방하기 바란다.

Malnutrition, Frailty and Sarcopenia

최근 10여 년 내 국내 및 외국 학술지에 acute-on-chronic liver failure와 함께 hot topics 중 하나는 **근감소증**(sarcopenia) 관련 연구이다. 필자처럼 40대 중반을 넘기면서 운동량이 부족함에 더불어 aging process로도 근감소가 올 수 있지만 만성 질환 자체가 근감소증을 유발할 수 있다고 알려져 있다. 간경변증 환자에서 근감소증은 삶의 질을 떨어뜨릴 뿐만 아니라 불량한 예후와 관련된 독립적인 위험인자이다. 근감소증 외에 **쇠약**(frailty)과 **영양실조**도 근감소증과 연관되어 강조된다. 근감소증, 쇠약, 영양실조에 대한 진단, 예방과 관리를 위한 의학적 개입이 강조되어 최근 임상 가이드라인도 제시되었다(Reference #38).

내과의사 자긍심

의사 회원 전용 커뮤니티 글을 가끔 접하면, 내과 및 내과의사가 홀대받는 분위기에 기분이 불편하다. '막장'이란 단어가 최악이다. 익명게시판이나 댓글의 무책임함이 더해진 탓도 있겠지만 가끔은 본인이 내과의사라 밝히면서 자조적이고 패배자 같은 넋두리만 올리는 글을 후배들이 볼까 더 부끄러워진다. 한국 내과의사의 일원으로 현실적인 불만이 많지만 적어도 품위를 지키길 바란다. '내과의사이다'라는 말이 '의사답다'라는 말과 같은 의미로 남길 바란다. 누구나 내과의사가 될 수 있는 시대인 듯 하나, 아무나 내과의사가 될 수는 없다.

의무기록 작성

1. 의무기록의 중요성

먼저 '공문서 公文書'에 대한 개념을 알아보자. 안타깝게도 '사기공화국'인 한국에서는 사기와 맞물린 '공문서 위조 혹은 변조죄'란 말을 자주 접하게 되는데, 이 법률 용어에서의 '공문서'는 공무원 혹은 공무소의 문서를 뜻하지만, 회사나 단체에서 작성한 공적 서류도 공문서라 흔히 부른다. 의대를 졸업하여 의사로서의 업무를 시작하면서 환자 관련하여 작성하는 일련의 **의무기록(medical record)**은 공문서라고 간주해야 한다.

최근에는 **의료분쟁**('의료사고'는 환자들이 사용하는 편향된 용어이므로 사용을 삼가야 함)으로 이어질 가능성 있는 사례가 늘어나는 추세인데, 자세하고 정확한 의무기록은 의무(義務)사항이기도 하고, 분쟁 쟁점을 줄여 의사들이 불필요한 감정소모를 피할 수 있는 최소한의 방어법임을 잊지 말아야 한다. 바쁜 업무 중 실시간으로 의무기록을 작성할 수는 없으나 위중한 환자이거나 및 민감한 일이 벌어질 우려가 예상되는 경우 '**책임의사**'(환자의 전반적인 진료를 책임지는 의사로 '주치의' 대신에 사용하는 공식 용어) 혹은 시니어 선배, 전임의에게 보고하고 정리 가능한 대로 빨리 의무기록을 작성해야 전공의 수련 과정 중 수사기관에 호출되는 불쾌한 일을 피할 수 있다. 책임의사 혹은 담당교수들께서 당연히 전공의들을 보호해 주시겠으나 '**보고 notify**' 의무를 이행하지 않으면 보호가 어렵기도 하다.

의무기록 작성의 중요성은 상기한 **사법적인 측면**보다는, **효과적이고 지속성있는 환자 진료를 위한 기본적인 구성 요소**라는 데에 있다. 환자의 의학적인 문제점을 파악하고, 평가하며, 치료 계획을 수립하는 일련의 과정이 담겨있기 때문이다. **2장**에서 언급한 꼼꼼한 환자 평가에 맞물린 객관적인 기록인 것이다. 병원에서의 환자 진료는 보통 의료진 1명이 진행하는 것이 아니라 다른 의료진들이 함께 참여하며 또한 병원 외부의 의료진과의 소통이 필요하기도 하다. 극단적인 설정으로 의사 1명이 환자 1명만을 진료한다고 하더라도 현재 상태를 기록해두지 않으면 추후 의사의 기억이 왜곡될 수밖에 없겠다.

또한 의무기록은 추후 각종 **리서치의 기본 자료**이기도 하다. '차트 분석을 통한 후향적 연구'라는 임상연구도 흔하다. 독자들이 보드시험을 위해 준비할 (증례보고) 포스터도 의무기록에 기반한다.

최근에는 의료기관 인증평가원에서 수 년을 주기로 의료기관의 제반 의료 행태를 점검한다. 전공의 과정 중 적어도 1번은 분명히 겪을 것이다. 인증평가 항목에 의무기록 관련 항목도 상세히 규정되어 있다. 의료기관 인증과 별도로 심평원에서도 심사평가정보를 표준서식에 따라 공식으로 요청하는데, 여기에 입/퇴원 기록지, transfer notes 등도 포함되며, 각 서식에서 체크해야 하는 필수 항목들이 규정되어 있다. 아마도 근무를 시작하면 병원 내 의무기록실에서 전공의 대상으로 교육을 하거나 미비 보완을 위한 호출이 있을 것이다. 의무기록 작성은 전공의 본인이 바쁘고 원하지 않는다고 하지 않고 넘어갈 선택항목이 아니다! 오죽하면 의무기록 우수 전공의에게 포상하고 미비가 남겨진 경우 병원에서 지원되는 의국비가 삭감당하는 강제적인 조치가 이어지겠는가?

15 의무기록 작성

> ### *"간성뇌증이 저명합니다?"*
>
> 가끔 증상이나 징후가 현저하게 혹은 자명하게 보이는 경우를 '저명하다'는 그릇된 표현을 하는 경우가 있는데 저명하다는 건 '저명인사'라는 말과 같이 유명하다는 의미이므로 혼동하지 말아야겠다. 요즘 신조 합성어 중 "신박하다"라는 말이 공중파에서도 종종 들리는데, 연예인에 대한 기대치는 낮아 무시하지만 아나운서나 PD가 이 표현을 사용하면 실망스럽다.
>
> 이 책에도 잘못된 맞춤법이나 표기법의 표현이 섞였을 수 있는데, 이메일(motet76@gmail.com)로 알려주시면 추후 수정하겠습니다.

2. 내과 전공의 의무기록

내과 전공의가 작성하는 의무기록은 다음과 같다.

내과 전공의 의무기록

(1) 입원 초진 기록(admission note)
(2) 입원 경과 기록(progress note)
(3) 전입 기록/전출 기록(transfer-in & -out note)
(4) 퇴원 요약 기록(discharge summary)
(5) (외래를 보는 경우) 외래 초진 및 경과 기록
(6) 각종 진단서

● 이 외에 앞선 **14장**에서 강조한 management order에 남기는 text order 포함 기본 오더도 **'의사 지시 기록'**으로 progress note의 일환일 수 있다. 타과의 **협진의뢰서 및 답신**도 의무기록에 포함된다.

- 각종 **동의서** 양식과 **검사 결과지**도 전자서명이나 EMR 형태로 남기거나 스캔하여 의무기록에 포함한다.

3. 의무기록 관련 중요 사항 정리

- 최근에 상기 기본 의무기록 양식들은 **EMR (electronic medical record)**의 기본 양식으로 지정되어 있어 약간의 타이핑과 클릭만 열심히 하면 미비를 남기지 않는다. 번거로워도 체크해야 할 항목은 공란없이 다 표시하거나 기록을 남기자.

- EMR은 log기록이 남기 때문에 본인이 작성한 기록이라고 하더라도 함부로 위, 변조를 하면 안 된다. 수정이 필요한 경우에도 의무기록 수정요청서를 작성하는 공식적인 채널을 거쳐야 한다. 법률적 근거가 될 수 있기도 하며 상식적으로도 당연한 조치들이다.

- 본인이 진료하는 환자가 아닌 다른 환자 기록 조회는 개인정보 보호법에 위배된다. 예를 들어 유명인이 입원했다고 호기심에 기록을 조회하는 비상식적인 일은 삼가야 한다.

- 의무기록 작성 시한도 있어, 특히 admission note는 입원 당일, 퇴원 요약지는 퇴원 전이나 퇴원일 내로 작성이 되어야 한다. 최근에는 퇴원요약지가 완료되지 않으면 퇴원 처리를 진행하지 않는 병원도 있다.

- 경과 기록은 기본적으로 **S.O.A.P.**로 구성되며 각 항목에 대해서는 의대 학부에서도 배웠을 것이다. 간단히 리뷰하면 아래와 같다.

S.O.A.P.

Subject에는 환자가 호소하는 주관적인 증상(symptom 혹은 complaints)과 present illness, ROS, 과거력, 환자와 의사소통이 어려운 경우 동반한 가족의 진술이 포함된다.

Object에는 의사의 이학적 검사 및 징후(sign), 각종 검사 결과를 정리한다. 가능하면 grading을 구체적으로 기술하면(예: pitting edema 2+, HEP grade III, ascites grade 2 등) 다른 의료진이 환자를 직접 진찰하지 않아도 환자 상태를 파악하기 좋다.

Assessment에는 S와 O를 근거로 한 problem lists나 진단명 혹은 추정진단명을 기술한다. 워낙 원칙은 SOAP를 각각의 problem에 따라 #1. Problem에 대한 SOAP, #2. Problem에 따른 SOAP를 분류해서 작성해야 하나 이렇게 되면 너무 장황해진다.

Plan에는 향후 진단 혹은 치료 계획을 정리한다.

● **충실한 의무기록은** 장황하거나, 특히 경과 기록의 경우 전날의 의무기록을 단순히 copy & paste 하기보다는 **짧고 간결해도 daily로 발생하는 중요한 사항 등을 일목요연하게 정리함이 중요하다고 생각한다.** 같은 의무기록 내용이 반복되면 중요하거나 변화한 어느 시점의 상황을 본인이 의무기록을 리뷰한다고 해도 놓칠 수 있다.

● 환자나 가족과의 상담내용도 경과기록에 꼭 남긴다. 환자가 의사결정이 어려운 mental status 문제가 있거나 미성년자인 경우에는 환자보다는 법적대리인과의 상담이 적합하겠으나, 원칙상 의사의 설명의무 대상은 환자 본인이다. 환자의 동의없이 환자의 진료 관련 내용을 타인(친가족 포함)에게 발설하면(법률을 정확하게 파악하지는 않았으나) 의료법 외에도 개인정보보호법에 저촉될 수도 있겠다. 선배 교수님께 50대 환자에게서 발생한 cancer를 환자 가족에게 알려주셨다가 환자

본인에게 강력한 항의를 받은 적이 있다고 들었다. 가끔 가족임을 자처하며 찾아와 설명을 요구하는 경우가 있는데, 환자에게 설명을 해도 되는지 문의하여 환자의 동의를 얻은 후 상담을 진행하기 바란다. 환자의 복잡한 가족사에 의료진이 낄 필요가 없다. 우리나라의 유교적인 분위기로 고령의 환자에서 불량한 상태에 대한 설명을 환자에게는 비밀로 하고 가족에게만 대신 전하는 경우가 드물지 않다(고령의 부모가 입원한 경우 악성종양을 환자에게 직접 설명했다가 가족들의 강한 항의를 받는 경우도 흔하게 발생한다). 설명 관련된 민감한 문제가 예측되는 상황이라면 설명을 누구에게 어느 정도 수준으로 할지 책임의사와 상의하자.

전공의법과 휴식

전공의의 수련환경 개선 및 지위 향상을 위한 법률, 약칭 '전공의법'이 적용되고 있다. 전공의 보호, 환자 안전 등을 위해 진작부터 마련되었어야 마땅했다. 법률이 시행된 지 수년이 지났고 아직 현장에서는 보완할 부분들이 보인다. 수련병원은 전공의법을 준수하지 않으면 과태료만 무는 것이 아니라 정부 의료질평가 지원금이 삭감당하는 부담이 있다.

법률의 여러 사항 중 근무시간 규정이 중요하다. 지도전문의이자 선배의사로서 말하고 싶은 건, (1) 오프 시간에 온전히 휴식을 취하라는 것과, (2) 인계를 철저히 하라는 것이다. 충전이 안 되면 근무의 질도 떨어질 뿐만 아니라 창조성도 떨어질 것이다(전공의가 오더만 실행하는 건 아니다!). 인계를 철저히 하라는 건 오버타임으로 일을 질질 끌게 아니라 오프시간을 제대로 맞춰 퇴근하되, 당직할 동료에게 야간이나 주말동안 조심하거나 세밀히 챙길 부분을 퇴근 전에 미리 정확히 전달하라는 말이다. 특히 위중한 환자에 대해서는 구두로 부탁하겠으나, 일반 환자들은 평소 중요 포인트나 변화 사항을 경과 기록에 짧게라도 정갈하게 기록해야 그 환자를 처음 볼 당직자라도 갑작스러운 event에도 원활하게 manage를 지속할 것이다.

16 소화기내과 전임의를 위한 조언

이 책을 구상한 계기는 머리말에서 밝힌 바와 같이 전공의를 위해 기존의 지침서에서 찾기 어려운 내용을 전하려는 취지에서 비롯되었다. 전공의 과정을 수료하고 세부전공을 소화기내과로 정할 분들도 계시리라 생각되어 소화기내과를 전공한 선배로서 몇 가지 조언을 붙여본다.

소화기내과는 내과 중에서는 환자 수가 많고 질환군이 다른 분과에 비해 넓으며, 봉직의나 개원의로도 메리트가 있어 전통적인 선호 파트이다. 공보의나 군의관을 다녀오면서 전공의 때 희망했던 세부전공을 GI로 전향하기도 한다. '워라밸'을 중시하는 최근 새내기 의사 후배들에게는 이전보다 소화기내과의 인기가 약간 떨어진 느낌이지만 그래도 내과 분과를 열거하면 '소화기'부터 아닌가? 3년차 전공의들에게 간단한 보드리뷰를 해줄 때 찾아보니 GI가 여전히 내과 전문의 1, 2차 시험 문항 전체의 20%를 차지하는 명실상부 내과 메이저이다.

1. 목표 설정

● GI 펠로우를 시작하는 이유는 크게 2가지로, 아카데믹하거나(대학 faculty 희망), 실용적인(내시경 습득 후 취업 혹은 개원) 차원에서일 것이다. 후자라 한다면 펠로우를 1–2년 혹은 3년 이상 할 지('롱펠로우'라 부른다. **Reference #39**) 펠로우 시작 전부터 고민하면 좋겠다. 현재 기준에서 F1만 수료하면 소화기내시경 세부전문의 시험 응시 자격만 부여되고, F2를 마쳐야 소화기내과 분과전문의 시험 응시 자격이 부여됨을 기본으로 알아두시라. 소화기내시경 세부전문의만 취득했을 때와 분과전문의도 함께 취득했을 때 봉직의의 대우가 다른 경우도 있다(분과전문의 유무에 따라 입원 협진비 책정과 동일 외래 진료일에 내과 여러 파트 진료를 방문한 환자 진찰비 산정이 다르다. 전임의 수련병원인

경우 전임의 T/O와도 연관된다).

● 급여보다도 더 중요한 건 아무래도 연차별 술기의 완성도일 것이다. Polypectomy나 EMR도 F1때보다는 F2때 당연히 더 능숙해질 것이고, ERCP까지 배우려면 F2 이상은 되어야 한다(병원마다 환경은 다를 것이다). 술기뿐만 아니라 외래나 입원 환자 진료에 있어서도 당연히 F1-F2-F3 경험 차이가 드러난다. 이 차이점은 시간이 갈수록 본인이 자각하게 된다.

● 다만, 전임의 교육에 대한 체계도가 부족한(즉 인문계와 직업반의 구분이 잘 안 되는) 병원에서는 교육자인 교수 혹은 시니어 분과전문의들이 피교육자인 펠로우들에게 충분한 신경을 써 주지 않기도 함을 알고 있어야 한다. 펠로우들 본인이 습득하고 싶은 술기나 소망을 피력하지 않고 시간이 되면 뭔가를 배울 것이라는 안일하고 수동적인 자세를 보이는 것도 문제이다. 전임의 본인이 성실히 근무하는 전제에서 '윗분'들께 본인이 배우고 싶은 것들을 정중하게 밝히고, 알아서 챙기는 능동적인 모습을 보여야 한다.

● Staff으로 남기를 희망하는 분들께는 개성을 줄이고 본인의 존재가 있는 둥 없는 둥 모나지 않게 지내시라는 말씀을 전한다. 성실함은 기본이고 탁월함은 옵션이다. 이건 비단 GI나 내과, 혹은 의료계에만 국한된 건 아닐 것이다.

16 소화기내과 전임의를 위한 조언

2. 또 다른 Subspecialty - 간, 위장관, 췌담도(가나다 순)

GI의 추가 서브스페셜 역시 각각 업무와 특성이 다르다. 간장학을 전공하여 위장관과 췌담도 파트를 언급하는 건 어렵다. 전공의 때 간접 경험한 바에 따라 본인이 판단해야 옳을 것이다. 분명한 사실은 세 파트를 두루 잘 보기는 쉽지 않다는 점이다.

Jeju Life(상)

지인의 소개로 연고가 없는 제주에 내려와 근무하며 살기 시작한 지 12년이 되었다. 처음 제주에 내려온 2010년에는 연예인과 여러 예능 프로그램으로 인해 한 때 붐이었던 '제주에 살아보기'에 대한 유행이 시작되기 전이었다.

(1) 제주살기를 설명하려면 우선 사람들을 유혹하는 명곡 "제주도 푸른밤"의 가사 몇 부분을 짚어봐야 한다.
  "이제는 더 이상 얽매이긴 우리 싫어요/신문에 TV에 월급봉투에" – 소위 금수저가 아닌 생계형 봉직의에게는 현실적으로 맞지 않는다. *"아파트 담벼락보다는 바달 볼 수 있는 창문이 좋아요/낑깡밭 일구고 감귤도 우리 둘이 가꿔봐요"* – 제주도에 단독 주택이나 타운하우스에 사는 건 주택관리를 위해 굉장히 부지런해야 하고, 돈도 많이 들고, 벌레뿐만 아니라 뱀도 출몰한다고 하여 질색이다. 결국 아파트에 사는데, 최근 아파트값 상승률이 제주시가 전국 최고이다. 과수원 농사는 아무나 짓겠는가?
  "그동안 우리는 오랫동안 지쳤잖아요/술집에 카페에 많은 사람에/도시의 침묵 보다는 바다의 속삭임이 좋아요" – 그래, 지쳐서 힐링을 위해 제주에 왔을 수는 있겠다, 다만 제주도의 개발 붐과 여행객들로 카페도 늘고 동서남북 서로 다른 매력이 있던 제주 바다는 속삭이지 않고 '웅성거리는' 느낌이다.
(2) 상대적으로 부족한 문화 시설과 예술 접근성... 아울렛, 백화점도 없다.

(3) 운송비 및 물류처리비로 인한 공산품 가격이 다소 높고 가끔은 추가배송비가 구입한 물품보다 비싸다.

(4) 이런 것까지는 괜찮다. 가장 큰 제주살이의 불편함은 생활 영역이 좁아서 익명인의 한 명으로 살기가 어렵다는 것이다. 몇 개 없는 제주시 대형마트를 가면 지인 1-2명은 마주친다. 단주와 슬로우 푸드를 강조한 환자에게 내 쇼핑카트에 실린 술병과 라면 및 각종 인스턴트 음식 봉지들을 보여주긴 머쓱한 일이다. 식당 방문 시에도 마찬가지이다.

3. 소화기내과 분과 전임의 수련과정

내과학회 홈페이지에 전임의 수련과정 필수사항과 권장사항이 소개되었다. 필수 항목만 점검한다면 다음과 같다. 2년차 전임의 때 업무 일부는 당연히 1년차 전임의 때나 전공의 시절에 중복되기도 한다.

F1 – 소화기내과 입원 환자 진료, 12개월 중 외래 진료 50회 이상 또는 외래 환자 100명 이상, 응급실 환자 진료, 타과 의뢰 환자 자문 진료, 상부위장관 (진단)내시경 최소 500회, 상부위장관 치료내시경 최소 20회 (지혈술, 이물제거술), 대장내시경 최소 150회, 하부위장관 치료 내시경 (폴립절제술, 점막절제술), 소화기학 강좌/컨퍼런스, 연구 세미나 참석, 다학제 컨퍼런스 참석, 학생 및 전공의 교육 및 감독/저널 교육/교과서 교육

F2 – 상부위장관 치료내시경(폴립절제술, 점막절제술, 경피내시경하 위루술, 내시경 정맥류 결찰술/폐색술), 하부위장관 출혈 지혈술, 캡슐내시경/소장내시경 판독 가능, 운동기능검사 판독 가능, 복부초음파 검사 판독 가능, 연구설계, 임상통계학, 역학의 기초 습득 및 의학문헌 비평/

분석, 임상 혹은 기초 연구 결과 초록 발표, 학생 및 전공의 대상 강의(*cf.* F1은 '교육'이었다)

4. 리서치

연구 관련해서는 위의 분과 전임의 수련과정에서도 드러나 있지만, F1 때 연구에 착수할 여유가 없을 가능성이 높다. 하지만 분과전문의 시험에 응시하려면 기본 자격 요건에 펠로우 수련개시일로부터(펠로우 시작은 3월이나 5월부터인데, 전공의 졸국 직전이며 전임의 근무 전인 1~2월에 출판된 논문은 인정이 안 된다) 응시자격 심사 전까지 1편 이상의 원저/증례/종설이 게재되었거나 acceptance mail을 받아 게재 예정임을 밝혀야 한다. 증례라도 꼭 있어야 한다! 술기를 배워야 할 뿐만 아니라 입원 환자들을 전공의보다 더 잘 파악하고 해결해야 하는 업무까지 겸하는 경우가 많아 오히려 전공의 3년차 때보다 바빠지기도 한다. 1년차 임상강사(펠로우, 전임의와 거의 같은 말임을 아실 것이다) 때 paperwork를 하면 동료들이 "저 XX는 과(科)일은 안 하고 자기 것만 챙긴다"는 지탄을 듣기도 한다. 물론, 과의 기본업무를 소홀히 하면서 본인 연구나 논문만 챙기면 이기적인 행태일 것이고 친구도 떨어져 나갈 것이다. 전공의 병동 업무 백업하고, 내시경에 치이고, 전공의법 시행으로 인해 가끔 병동 당직까지 하다 보면, 회의감과 자괴감이 약간 들면서(일단 전임의를 시작했으면 감내하는 수밖에 없다) 연구에 신경 쓸 시간이 부족할 수 있다. 하지만 제1저자가 될 연구 성과는 온전히 본인의 자산이므로 본인이 틈틈히 챙길 수밖에 없다. 당연하지만 교신저자를 하실 교수님께서 원고를 써 주실 가능성은 지극히 낮다. 통계 분석이 완료되어 신뢰할 분석 결과가 도출된 전제 하에서도 manuscript를 처음부터 완벽하게 써 나갈 수는 없어서 논문의 틀을 짜서 원고를 계속 보완, 수정하는 방법을 취하시길 개인적으로 권장한다.

5. 외래 진료

● 전공의 시절 일반내과로 개설된 외래에서의 환자 진료 경험이 적었다면 소화기내과 외래 진료를 본격적으로 처음 시작하는 전임의 1년 차께는 다소 어려움이 뒤따를 것이나 외래 환자를 자주 보면서 익숙해져야 한다. 진료 중 여러 시행착오는 피할 수 없을 것인데, 많은 외래 진료 경험이 본인에게는 큰 교훈이 될 수밖에 없다. 다른 교수님이나 전문의의 약만 ditto해서는 배우는 게 적다.

● 소화기내과 외래라면 당연히 복통 초진 환자가 많이 내원할 것인데, 바쁠 와중에도 진료실 침대에 환자를 눕게 하고 복부 진찰을 꼭 하시길 바란다. 충수돌기염 포함한 surgical abdomen 환자가 GI외래로 오는 경우가 있어 압통이나 반발통 발생 여부를 포함한 peritoneal irritation sign을 확인하여 응급실 refer나 입원을 권유해야 한다. 간질환 신환은 적어도 눈을 꼭 확인하여 anemic conjunctivae나 icteric sclerae 여부를 확인하길 바란다.

● 본인 이름으로 입원장을 발부할 수 있는지, 교수나 다른 분과전문의에게 입원장을 대신 낼 수 있는지도 병원마다 다르겠으나 짧은 외래 진료 중 admission indication을 찾는 것도 배워야 한다. 적절한 입원 조치가 안 되고 약만 처방하여 귀가시키면 추후 곤란한 일이 발생할 수 있다. 증상 호전이 없으면 예약 일정을 당겨서라도 재내원하라는 말로 외래진료를 마무리하는 것도 필요하다. 병상 회전율이 좋은 병원이라면 입원 결정을 하기 어려운 전임의 초반 시기에는 조금 민감도를 높여 입원장을 많이 줘도 좋겠다.

● 여담인데, 과 초진 환자는 꼭 외래 진료 전 생체징후를 확인하고 측정 결과가 OCS에 남아 있어야 한다. 진정내시경이 아닌 일반내시경 시

행 전에도 생체징후 측정을 권장한다. 진료의 기본일 뿐만 아니라, 의사 본인 방어의 시작이다.

6. 입원 진료

●　윗 내용에 연결되는 부분이다. 전임의 때 본인 이름으로 입원한 환자를 볼 수 있는 병원이 많지는 않을 것이다. 교수나 선배들의 임상 조언을 구하며 본인의 입원 환자를 볼 수 있다면, 힘들겠지만 가치있는 경험을 할 수 있다. 펠로우를 마치고 입원 환자를 보는 종합병원에 봉직의로 근무를 시작한다면 본격적으로 본인 입원 환자를 보기 시작하는 봉직의 초년 1–2년 간 심리적 부담감을 많이 받기 때문이다. 다양한 임상 경험이 해결할 문제나 어차피 겪을 시행착오라면 백업이 든든한 전임의 시절 최소한으로 빨리 겪는 편이 낫다.

●　외래도 마찬가지이지만 입원 환자 진료 시 가장 중요한 건 본인이나 근무하는 병원의 역량에 맞지 않는 환자를 상급병원으로 적절히 의뢰하는 것이다. **진료의뢰서**는 예의상 자세하면 좋으나 의뢰서를 받는 분들의 입장에서는 바쁜 외래에서 읽는 의뢰서 내용이 너무 장황하면 요지를 파악하기 어려워서 핵심 내용을 의뢰서 내용 서두에 '두괄식'으로 정리 후 추가 핵심 내용을 기술하면 좋겠다.

●　소화기내과의 특성상 외과와 영상의학과(인터벤션 포함), 병리과 전문의들의 도움이 필요한 경우가 많은데, 신뢰할 수 있는 동료들과 근무하는 건 복(福)이라서 평소 친분을 잘 쌓아야 한다. 평소 커피 등을 들고 그분들이 한가할 시간에 연구실을 종종 찾아뵈면 좋겠다. 사적으로 식사 자리 마련도 권장할 만하다. 연구 결과가 있지는 않겠으나 임상의사와 인터벤션 의사의 사이가 돈독하고 평소 커뮤니케이션이 많을수록

환자의 시술 성과가 좋은 듯하다.

● 입원 환자 진료 시 환자 및 가족에게는 충분한 설명과 면담도 중요하다. 면담실이 잘 갖춰져 있지 않다면 번잡한 병동 스테이션보다는 외래 진료실에서 한적한 시간으로 미리 약속 시간을 잡아 각종 검사 결과를 보여주며 환자나 가족 면담을 하면 면담 효과와 환자/가족의 만족도, rapport가 모두 향상된다. 환자와의 적절한 라포가 형성되면 치료 성과와 예후도 더 좋다(사견임).

7. 소화기내과 의사의 어려움

3년 전 분당서울대병원 장은선/김나영 교수님께서 소화기내과 의사들의 번아웃이 심함을 조사, 분석하여 국제학술지에 발표하셨다(**Reference #40**). 내시경 시술이 기본이 되는 소화기내과 의사의 운명이기도 하다. 업무량을 타과와 비교하기 쉽지 않으나 소화기내과 의사의 퇴근 시간이 늦어지는 건 어느 병원에서든 관찰하기 쉽다. 샐러리나 인센티브가 조금 더 높겠지만 피로감과 가끔 시술 합병증 발생 관련 민원으로 심적 고통을 받는 것을 고려하면 편하지 않은 현실이다. 향후 개선 방향이 있을지 다들 추이를 관망하겠으나 개선 및 발전 방향에 대해 평소 의견을 피력하고 이를 취합하는 것도 필요해 보인다.

8. 간분과 펠로우 및 지망자들께

학회에서 발표하는 연배가 낮은 young hepatologist들의 열정과 뛰어난 연구 성과에 감탄하는 경우가 많다. 전국 각 병원에 저명하신 교수님들, 특히 국제적으로도 명망이 높은 교수님들이 계셔 연구 관련해서는 필자가 사족을 붙일 자격이 안 된다. 다만, 간장학 전공자도 위장관 파트 로테이션 시 내시경을 숙련하시길 권장한다. 개인적으로는 간경변증 환자의 내시경 정맥류 지혈술은 간분과 전문의가 시행하는 것이 옳다고 본다. 내시경 지혈술(EVL, EVO)이 충분하지 않으면 후속 치료 여부를 결정해야 하는데, 내시경 소견과 CT에서의 영상학적 특징, 간기능 등 두루 종합해서 판단해야 하기 때문이다.

Jeju Life(하)

그래도 제주도다! 서울에서 제주 내려오는 공항 대기실에서 보면 여행객들의 행복한 표정에 이제는 제주도민인 나도 들뜬다. 마이클 잭슨이 빈말로 "살 수만 있다면 사고 싶은" 섬이라 했겠는가('산다'는 'live'가 아닌 'buy'이다)? 집에서 10분만 차를 타면 해변에 도착하거나 중산간에 갈 수 있다. 자연경관은 내가 형용할 언어 수준을 넘는다. 걷기 좋은 곳들도 정말 많다. 한라수목원을 근린공원으로 이용할 수 있는 국민들은 전국에 많지 않을 것이다. 이른바 '도민들만 찾는 맛집'은 나열하기 어렵지만, 풍광 좋은 곳에서 식사를 하면 제주 흑우나 흑돼지 오겹살, 다금바리 회 한 접시가 아닌 떡볶이 한 그릇을 먹어도 감회가 다를 것이다(참고로 '도민들만 찾는 지역 맛집' 등의 블로그 포스팅은 믿지 마시기 바란다. 가게 사장이 전문가에게 의뢰한 글도 많고, 워낙 맛집이었다고 해도 방문객이 늘면서 맛과 서비스가 변질되는 식당이 많다. 식객들이 노포가 알려지길 싫어하는 이유와 같을 것이다). 한치도 여름엔 동네 마트에 가면 집에서 먹기 좋게 포장판매한다. 새콤달콤한 동해나 포항식 물회와 달리 된장을 베이스로 청량고추를 썰어 넣은 제주식 물회는 투박해도 개인적으로는 힐링 푸드이다(가시가 거친 자리물회는 esophageal foreign body를 잘 유발하여 함부로 도전하지 마시길 당부드린다. 독자와 필자가 내시경실에서 조우하게 된다). 운동을 좋아하는 사람들에게는 골프나 승마, 스쿠버다이빙을 즐기기에 제주만 한 곳이 없다.

References

1. **대한간학회 여러 진료 가이드라인**[간경변증 합병증 가이드라인(**2019**년 정 맥류, 간성뇌증, **2017**년 복수 등), 만성 **B**형간염, **C**형간염, 비알코올 지방간질 환, 알코올 간질환], **대한간암학회–국립암센터 간암 진료 가이드라인** – 학회 전문가들께서 긴 시간을 소요하여 정성스럽게 정리하신, 가독성이 좋은 가이 드라인들이다. 같은 주제가 겹친 경우 상위 혹은 최근 연도가 업데이트판이 다. 2022년 B형간염 및 간암 가이드라인이 update되었다.

2. **해외 간학회**에서도 이전부터 유명한 가이드라인들이 많이 나왔다. 미국간학 회는 **AASLD** (American Association for the Study of Liver Disease), 유럽간학회는 **EASL** (The European Association for the Study of the Liver), 아시아–태평양 간학회는 **APASL** (The Asian Pacific Association for the Study of the Liver)이라고 부른다. 링크를 단 각 학회 사이트를 방문하 면 각종 가이드라인을 확인할 수 있다. 대한간학회는 **KASL**이라 약칭한다.

3. **The liver in poetry: Neruda's 'Ode to the Liver'** Liver Int 2008;28: 901–5. – 노벨 문학상 수상자 파블로 네루다의 영문 번역 시가 소개되었다. 네루다의 사진을 보면 음주가무를 좋아할 인상이다.

4. **Updated U.S. Public Health Service Guidelines for the management of occupational exposures to HBV, HCV, and HIV and recommendations for postexposure prophylaxis.** MMWR Recomm Rep 2001;50:1–52. – 각 병원 감염관리실 별로 주사침 자상에 대한 지침이 본문 내용과 약간 다를 수도 있다. 아직 접종을 하지 않았다면 B형간염은 백신 접 종 3회, A형간염 백신 접종 2회를 권유한다.

5. **Testing and clinical management of health care personnel potentially exposure to hepatitis C virus – CDC guidance, United States, 2020.** MMWR Recomm Rep 2020;69:1–8. – C형간염 환자에게서 needle-stick injury를 받은 경우 의료진이 baseline study로 HCV Ab 및 HCV RNA 정성검사를 받아 음성이 나오면 4–6개월 후 추적 검사를 받을 때까지 안심이 될 것이다.

6. **Hyperammonemia in the ICU.** Chest 2007;132:1368–78. – 내과의사로 서는 입원 환자의 의식 변화가 발생하면 당연히 full lab 포함 제반 평가를 한 다. 내과적 문제를 점검한 후 내과적 문제가 없으면 신경과 협진을 문의하는 데 glycemic problem, renal problem, electrolyte imbalance, liver disease, vitamin deficiency 등이 자명하지 않아도 가끔은 'metabolic encephalopathy'가 의심된다는 답변을 받는다. Brain의 기질적 문제 평가를 위해 요즘 brain diffusion MRI 촬영을 자주 하는데, 2021년 말 대한영상의 학회지에 깔끔한 아티클이 있어 참고하시기 바란다. **Acute acquired**

metabolic encephalopathy based on diffusion MRI. Korean J Radiol 2021.22:2034–51.

7. **Histological grading and staging of chronic hepatitis standardized guideline proposed by the Korean Study Group for the Pathology of Digestive Diseases.** Korean J Path 1999;33:337–46. – 병리과에 조직검사를 의뢰할 때 최대한 임상정보를 꼼꼼히 전달하면 좋고 필요할 때에는 병리과 선생님을 찾아뵙고 환자 상태를 설명드리면서 여쭤보면 좋겠다. 임상의사와의 원활한 소통은 많은 병리과 선생님들의 바람으로 안다.

8. **EASL Clinical Practice Guidelines on non–invasive tests for evaluation of liver disease severity and prognosis – 2021 update.** J Hepatol 2021;75:659–89. – 최근 유행하는 비침습적 평가법을 정리한 유럽간학회의 가이드라인이다. 조만간 미국간학회에서도 동일 주제로 가이드라인을 제시할 것이다.

9. **International Autoimmune Hepatitis Group Report: review of criteria for diagnosis of autoimmune hepatitis.** J Hepatol 1999;31:929–38. – 항목이 많아 본문 내용처럼 medical calculator 앱을 이용해야 편하다. 조직검사를 시행하지 않은 경우 관련 점수는 비워 둔다. 항목을 보시면 알겠지만 배제진단하는 질환이지만 특징적인 병리소견을 확인하기 위해 조직검사도 한다.

10. **MDCalc.com** – medical calculator는 온라인 사이트나 스마트폰 앱이 다양한데, 가장 정리가 잘 된 사이트인 듯하다(앱도 있다). 참고로, 통계분석 프로그램 중에도 'MedCalc'라는 프로그램이 있는데, SPSS에서 불가능한 ROC comparison이 가능하고 통계 프로그램 중 가격이 비교적 저렴한 데에다가 논문 작성시 Methods에 statistical analysis tool로 남길 수 있다는 장점이 있어 개인적으로 사용 중이다. R은 오픈소스이며 최근 각광받는다. 기회가 주어진다면 R을 배우시길 권한다.

11. **Surgery and portal hypertension.** Major Probl Clin Surg 1964;1:1–85. PMID: 4950264.– 유명한 Child score가 처음 소개된 저널인 듯하다. 죄송하게도 직접 원문을 찾아보지는 못했다.

12. **MELD 3.0** – Gender와 albumin이 보정된, 최근 update된 MELD score이다. 앞으로 MELD 3.0를 이용한 다양한 후속 연구가 나올 것이고, 수 년 후에는 미국에서의 liver transplant allocation도 현재 MELD–Na에서 MELD 3.0으로 바뀔 것이다. 참고로 우리나라는 MELD–Na가 아닌, MELD score를 KONOS에서 사용한다.

13. **Early indicators of prognosis in fulminant hepatic failure.** Gastro-enterology 1989;97:439–45. – 발표된 지 30년이 넘은 간분과에서 고전이 된 article이다. 의대생 때 내과 혹은 외과에서 배웠을 것이다. 그 동안 많은 후속 논문에서 validation되었다. 30년 사이에 급성 간부전에 대한 여러 medical care가 더 발전했을 터라 최근 임상상황에 접목하기에는 고려할 점들이 있다. 필자는 운좋게 John O'Grady 교수님과 급성 간부전 연구로 유명한 King's College의 Willam Bernal 교수님과 공동연구를 한 적이 있는데, 이 분들의 서명이 담긴 copyright 서류 PDF 파일을 이메일로 받은 것 만으로도 스타에게 싸인받은 감동을 느꼈다. 미국 급성 간부전 연구회의 리더이셨던 William M. Lee 교수님께도 급성 간부전 연구 관련한 문의 e-mail을 드린 적 있는데, 일면식 없고 이름없는 한국의 어린 의사가 문의해도 꼼꼼히 답변해주셔서 감동을 받았었다. 비슷한 예로 간이식으로 국내뿐만 아니라 세계적으로도 유명하신 서울아산병원 이승규 교수님께도 간이식 의뢰를 드렸더니 이식 후 A4 앞뒤로 빼곡히 수기로 진료회신서를 보내주셔서 황송했던 기억이 있다.

14. **신호와 소음 The Signal and the Noise.** Nate Silver – 피츠버그에서 중환자의학 faculty로 근무하는 대학 동기 윤주흥 선생이 소개한 책이다. 의학 분야 외에도 우리 실생활에 수많은 정보 중 '소음'을 구별하고, 의미 있는 '신호'를 찾아 예측하는 실례들을 보여준다. 본문 내용에 까마귀와 배 이야기는 안나온다.

15. **Drug-induced liver injury: present and future.** Clin Mol Hepatol 2012;18:249–57. – 국내 다기관 DILI연구를 진행하신 한림의대 석기태, 김동준 교수님께서 정리 발표해주신 리뷰 아티클이다.

16. **Drug Indiced Liver Injury Rank (DILIrank) Dataset**, U.S. FDA – 사이트 개발자의 꼼꼼함에 놀랐다.

17. **Development of a model to predict transplant-free survival of patients with acute liver failure.** Clin Gastroenterol Hepatol 2016; 14:1199–206. – 미국 연구회 자료로 exploration 및 validation을 했는데, external validation이 필요하다.

18. **Guidelines on the use of therapeutic apheresis in clinical practice – evidence-based approach from the Writing Committee of the American Society for Apheresis: the eighth special issue.** J Clin Apher 2019;34:171–354. – 필자도 작년 말 급성 간부전 환자에게 plasma exchange를 3 sessions 시행했는데, 심평원 삭감 통보는 아직까지는 없다.

19. **Beethoven's terminal illness and death.** J R Coll Physicians Edinb 2006;36:258–63. – PubMed에 "beethoven, death"를 입력하면 많은 아티

클이 보인다. 이 책 본문 원고에 베토벤 내용을 넣은 게 1월 초인데, 오늘(2월 3일) 우편으로 도착한 간질환 정보지 Liver Update에 삼성서울병원 최문석 교수님의 '루드비히 반 베토벤의 사인에 관한 고찰'이 special column으로 실려 있었다. 우연이고, 필자도 전임의 때부터 전공의 강의 슬라이드에 베토벤 얘기를 실었었다.

20. **Diagnosis and management of acute kidney injury in patients with cirrhosis: revised consensus recommendations of the International Club of Ascites.** Gut 2015;64:531–7.

21. **대한내과학회 "전공의 수련 핵심 역량"과 "내과 전공의를 위한 진료 지침"** – 최근 내과학회에서는 전공의들을 위해 전국에 계신 강의를 잘 하시는 교수님들을 모시고 중요한 질환에 대해 핵심역량 연수강좌를 개최한다. 강의하신 분들께 전문의 보드시험 문제 출제도 부탁하여 pooling을 한다고 하니 시험을 대비하는 3년차 전공의들은 그 해 강의 및 이전 수년간 강의를 리뷰하면 좋겠다. 내과학회 홈페이지에서 전공의 수련 핵심역량과 진료지침 파일을 다운받을 수 있다. 진료지침은, 시간이 지나도 내용이 바뀌지 않을 부분도 있으나, B형간염, C형간염 같은 경우는 바뀐 신약이 업데이트 되어 있지 않기에 주의를 요한다. 핵심역량 정리집은 2017년에 발간되었고 일목요연하게 정리되어 가독성이 좋지만 역시 치료제 등 보완이 필요한 부분들이 보인다.

22. **"내원 전 식도정맥류 파열 환자, 치료 중 '사망'"** 의협신문. – 임상 현장에서는 의료분쟁의 소지가 언제라도 발생한다. 의협신문 사이트에서 '식도정맥류'를 검색하여 해당 기사를 읽어 보시기 바란다. 담당 의료진께서 고생하신 상황이 그려진다.

23. **미세 간성뇌증 인지기능 검사 사이트** – 한양대학교 소화기내과 전대원 교수님이 대표연구자로 기획하신 한국판 미세 간성뇌증 검사 사이트이다. 접속해 보시면 각종 검사에 대한 설명과 검사방법, 진단 도구, 참고문헌이 일목요연하게 보인다.

24. **수혈가이드라인, 제4판.** 질병관리본부, 대한수혈학회. – 내과에서는 수혈을 할 일이 많으니 한 번 정독하여 모르던 부분을 보충하시기 바란다.

25. **A history of coagulopathy in liver disease: legends and myths.** Clin Liver Dis 2020;16:56–72. – 간분과를 하다 보면 종종 고민하는 부분이 응고장애이다.

26. **The evolving challenge of infections in cirrhosis.** N Engl J Med 2021;384:2317–30. – 간경변증 환자의 감염 취약성이 정리된 최근 아티클이라 추천한다. '**translocation(전위)**'이 병리기전의 핵심 중 하나이다.

27. **Antibiotic prophylaxis in cirrhosis: good and bad.** Hepatology 2016;63:2019-31. – 레퍼런스를 참고하여 항생제 투여의 적응증을 다시 상기하되, 제한 항생제를 rationale없게 처방하지 말고 병원 infectious disease specialist(감염내과 외에 다른 분과 전문의들에게는 'specialist'라는 말이 붙지 않는다)의 고견을 함께 문의하시기 바란다.

28. 간경변증 환자에서 감염이 원인이 되어 급만성 간부전에 빠지기도 하는데, acute-on-chronic liver failure (ACLF)는 요즘 간분과 저널에서 유행하는 연구 테마로 많은 아티클이 소개되고 있다. 서론이 길었는데, 필자처럼 감염학에 지식이 적은 분이라면 졸고에 추천사를 주신 **부천성모병원 감염내과 유진홍 교수님의 "이야기감염 시리즈"**를 읽어보시길 강력히 추천한다. 임상 현장에서 느끼겠지만 감염내과 선생님들은 다른 과에서 헤매는 질환, 가끔은 '괴질'을 해결해주시는 셜록 홈즈 같은 분들이다. 유교수님은 방대한 지식을 바탕으로 어려운 내용도 흥미롭게 독자들에게 전달하신다. **블로그(https://blog.naver.com/mogulkor)**를 방문하시면 흥미로운 포스팅에 빠져 어느새 이웃을 신청하실 것이다.

29. **Post-operative mortality risk in patients with cirrhosis.**– 'mayo, meld, operation'으로 구글링해도 해당 사이트가 보일 것이다. MELD 구성 혈액검사 항목과 나이를 입력한 후 간경변증이 대상성인지 비대상성인지, 간경변증 원인을 클릭하면 여러 수치가 계산된다. 예전에 수술 전 위험도 산정을 문의하는 협진 문의에 MELD에 근거하여 답신했고 협진 의뢰한 써전(GS 아니었음)이 risky하다고 판단하여 수술을 포기했었는데, 써전께 수술을 의뢰한 내과 교수(GI 아님)가 내게 "답신을 그렇게 주어 수술을 못하게 만들면 어떻게 하나?"고 따졌던 당황스러운(혹은 황당한) 기억이 난다. 이에 대한 판단은 여러분께 맡긴다.

30. **Baveno VII – renewing consensus in portal hypertension.** J Hepatol 2022;76:959-74. 링크를 따라가시면 주옥 같은 본문 내용을 볼 수 있다. 권고사항 각 줄이 모두 중요하다! 요즘 가이드라인은 권고사항뿐만 아니라 후속 연구 테마도 제안한다. 바비노 7판도 그렇다.

31. **BCLC strategy for prognosis prediction and treatment recommendation: The 2022 update.** J Hepatol 2022;76:681-93. Figure 1에 2022 updated BLCL stage와 치료 전략이 보일 것이다. 구글링을 해도 image에서 advanced stage의 1st line treatment가 atezolizumab-bevacizumab으로 변경됨이 보인다.

32. **Transcatheter therapy for hepatic malignancy: standardization of terminology and reporting criteria.** J Vasc Interv Radiol 2016;27: 457-73. – RECIST, WHO, EASL, mRECIST criteria는 각각 original

reference가 있지만, 이 가이드라인에 표로 비교가 잘 되었고, 색전술과 관련한 표준화된 용어 등의 정리가 되어 있어 reference로 삼았다.

33. **네이버 블로그: 닥터김의 건강보험 청진기**, 김종률 – 네이버 블로그에서 검색 가능하다. 임상가들이 궁금할 건강보험 관련한 모든 내용이 포함되었다고 봐도 된다. 심평원 사이트(HIRA)에 급여 내용이 검색되나 임상 현장에서 적용은 모호한데, 김종률 선생님의 블로그에는 각 항목별로 자세한 주석이 달려있다.

34. **Adrenal insufficiency in patients with cirrhosis, severe sepsis and septic shock.** Hepatology 2006;43:673–681. – Adrenal insufficiency가 동반되지 않아도 septic condition의 advanced cirrhosis 환자는 manage가 어렵다.

35. **Effects of albumin/furosemide mixtures on responses to furosemide in hypoalbuminemic Patients.** J Am Soc Nephrol 2001;12: 1010–1016. – 필자도 전공의 때 선배들의 오더를 본떠 알부민과 라식스를 믹스하여 투여했었다. 가끔은 본인이 처방하는 방법을 재고해봐야 한다.

36. **EASL clinical practice guidelines on nutrition in chronic liver disease.** J Hepatol 2019;70:172–193. – 약 10년 사이에 유럽간학회에서 발간하는 각종 가이드라인과 아티클이 독자 친화적으로 편집이 잘 되어 있고 임상 현장에 도움이 되어 임상가들에게 각광받고 있다. 공식 학회지인 Journal of Hepatology의 약진으로 미국간학회 임원들도 자극을 받았다고 한다.

37. **Toxicity and response criteria of the Eastern Cooperative Oncology Group.** Am J Clin Oncol 1982;5:649–55. – 워낙 중요하고 유명하여 설명을 접는다. Reference 하이퍼링크를 달려고 Google Scholar를 확인하니 지금까지 9,700회 가까이 인용되었다!

38. **Malnutrition, frailty, and sarcopenia in patients with cirrhosis: 2021 practice guidance by the American Association for the Study of Liver Diseases.** Hepatology 2021;74:1611–44. – 미국간학회 가이드라인이다. Sarcopenia에는 racial difference도 관여하므로 국내 여건에 맞는 연구와 이에 근거한 가이드라인을 기다린다.

39. **"전임의 눈물 누가 닦아주나"**, Medical Observer – '펠노예'란 슬픈 단어가 있다. 본문은 2015년 기사인데, 전공의의 처우는 개선되고 있어도 전임의의 대우는 당분간은 쉽사리 좋아지기 어려울 것이다.

40. **"소화기내과 의사, 내시경 시술 많이한 사람일수록 번아웃 영향 커"**, Medical Observer. – 연봉이나 대학에서 교수업적 평가가 올라간다고 지친 소화기내과 의사에게 위로가 될 지 모르겠다.

17 REFERENCES

저자

김진동

가톨릭대 의과대학 및 대학원
가톨릭중앙의료원 내과 전공의
서울성모병원 전임의
성빈센트병원 전임의
소화기내과 분과전문의
고대안암병원 소화기내과 임상교수
제주한라병원 소화기내과 전문의, 교육연구부장